MW00365445

ullstein

Das Buch

Neues aus der ungewöhnlichsten Wohngemeinschaft der Welt. Das kommunistische Känguru und sein stoischer Mitbewohner Marc-Uwe trumpfen auf. Das Känguru lässt sich zum Papst ausrufen, gründet eine Anti-Terror-Organisation und erzählt Anekdoten aus der Zeit, als es noch in der Punkband Die kranken Schwestern gesungen hat. Es erklärt die Welt, hat neue Geschäftsideen und verstrickt sich in einen Kleinkrieg mit dem neuen Nachbarn, einem Pinguin. Marc-Uwe denkt sich seinen Teil dazu. Zwei außer Rand und Band. Frisch, frech und völlig absurd.

»Wer schon einmal mit einem Känguru zusammengelebt hat, wird begeistert sein. Alle anderen werden staunen. Sehr, sehr lustig!«

Horst Evers

»Zum Totlachen und Klugwerden.«

Musikexpress über *Die Känguru-Chroniken*

»Dieses Tagebuch über ein revolutionäres Känguru ist in Sachen Satire womöglich das Beste, was der deutschsprachige Büchermarkt derzeit zu bieten hat.« *Basler Zeitung* über *Die Känguru-Chroniken*

Der Autor

Marc-Uwe Kling singt Lieder und schreibt Geschichten. Er ist zweimaliger Deutscher Poetry-Slam-Meister (2006, 2007) und gewann zahlreiche Preise für seine Bühnenprogramme. Sein Geschäftsmodell ist es, kapitalismuskritische Bücher zu schreiben, die sich total gut verkaufen. Bereits im Ullstein Taschenbuch erschienen: *Die Känguru-Chroniken* (2009). Für die Känguru-Geschichten wurde er 2010 auch mit dem Deutschen Radiopreis ausgezeichnet. Mit seiner Band Die Gesellschaft macht er Reformhauspunk. Kling lebt in Berlin-Kreuzberg.

Aktuelle Auftrittstermine und Neuigkeiten unter:
www.MarcUweKling.de

Marc-Uwe und das Känguru kann man auch bei Radio Fritz als Podcast hören unter: www.fritz.de/kaenguru

Marc-Uwe Kling

DAS KÄNGURU-MANIFEST

Der Känguru-Chroniken
zweiter Teil

Ullstein

Besuchen Sie uns im Internet:
www.ullstein-taschenbuch.de

Originalausgabe im Ullstein Taschenbuch
1. Auflage September 2011
15. Auflage 2014

Umschlaggestaltung: ZERO Werbeagentur, München
Titelillustration: © Marc-Uwe Kling
Satz: KompetenzCenter, Mönchengladbach
Papier: Pamo Super von Arctic Paper Mochenwangen GmbH
Druck und Bindearbeiten: CPI books GmbH, Leck
Printed in Germany
ISBN 978-3-548-37383-6

Für nichts
und wieder nichts

Nach einer wahren Begebenheit.[1]

1 Teile der Geschichte spielen allerdings in der Zukunft.[1.1]

1.1 Jetzt könnte man natürlich fragen, wie passt das zusammen? Man könnte aber auch akzeptieren, dass die Behauptung dadurch schwer zu widerlegen ist.[1.1.1]

1.1.1 Man könnte vielleicht sagen, die Geschichte spielt ***nach*** einer wahren Begebenheit.

»Die dümmsten Schlächter wählen ihre Schafe ...
nee ... dis ging anders. Die dümmsten Schafe
wählen ihre Kälber ... nee ... Die dümmsten Schafe
sterben im Schlafe ... nee ... Ach, egal.«

Oscar Wilde

WAS BISHER GESCHAH:

In der Zeitschrift für Assyriologie übersetzte H. Zimmern
1896 einen fast 3000 Jahre alten Text,
der in den Ruinen der Bibliothek des Aššurbanipal
in Ninive gefunden wurde, aus der Keilschrift ins Deutsche.
Auf dem Tontäfelchen hatte der Umanu
(Weisheitsvermittler) Shaggil-kinam-ubib notiert:
»Schaust du hin, so sind die Menschen insgesamt blöde.«
Das fasst im Prinzip alles ganz gut zusammen.

Ein Känguru geht um in Europa. Alle Mächte des alten Europa haben sich zu einer heiligen Hetzjagd gegen das Känguru verbündet, der Papst und der Pinguin, Jörg und Jörn Dwigs, die Ausländerbehörde, das Ministerium für Produktivität und deutsche Polizisten.

Wo ist die Oppositionspartei, die nicht von ihren regierenden Gegnern als Asozialisten verschrien worden wäre, wo die Oppositionspartei, die den fortgeschritteneren Oppositionsleuten sowohl wie ihren reaktionären Gegnern den brandmarkenden Vorwurf des Asozialismus nicht zurückgeschleudert hätte?

Zweierlei geht aus dieser Tatsache hervor.

Das Känguru wird bereits von allen europäischen Mächten als eine Macht anerkannt.

Es ist hohe Zeit, dass das Känguru seine Anschauungsweise, seine Zwecke, seine Tendenzen vor der ganzen Welt offen darlegt und dem Märchen vom Asozialismus ein Manifest des Kängurus entgegenstellt.

BioBrause™ präsentiert:

DAS KÄNGURU-MANIFEST

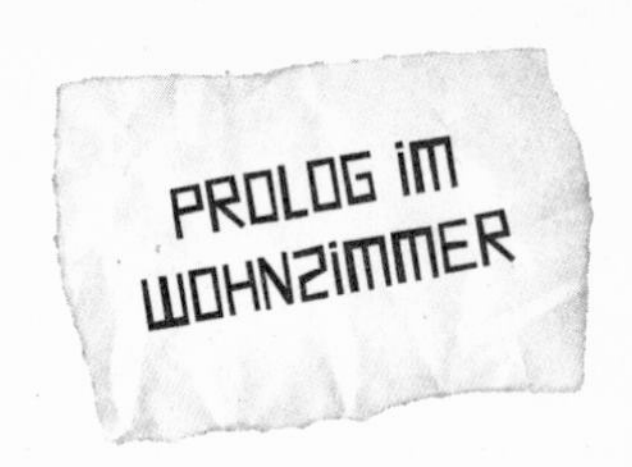

Ding Dong. Ich klingele. Die Tür wird geöffnet, und ich stehe einem Känguru gegenüber. Das Känguru blinzelt, kuckt hinter sich, schaut die Treppe runter, dann die Treppe rauf. Kuckt geradeaus. Ich stehe immer noch draußen.

»Hab meinen Schlüssel vergessen«, sage ich.

Das Känguru gähnt.

»Hello again«, sagt es, macht ein Peace-Zeichen und schlurft zurück ins Wohnzimmer. Erschöpft schleife ich meine Gitarre und meinen Koffer in unsere Wohnung. Das Känguru liegt schon wieder in seiner Hängematte im Wohnzimmer und summt vor sich hin. Ich lasse mich auf die Couch fallen. Der Boxsack hängt noch an gewohnter Stelle, beim Nevermind-Poster fehlt immer noch der obere rechte Reißnagel, und ich glaube, selbst der leere Pizzakarton liegt noch an derselben Stelle wie vor meiner Abreise.

»Frag mich, wie's auf Tour war«, sage ich.

»Wie war's auf Tour?«, fragt das Känguru.

»Nun ja«, sage ich. »Ich war ja mit der Band unterwegs, und gestern sind wir in Ober-Nieder-Gummersberg aufgetreten, und ich habe unter anderem so ein altes Straßenkampflied gesungen, ›Wer hat uns verraten? Sozialdemokraten!‹, und erst im Nachhinein hab ich festgestellt, dass fast das komplette Publikum aus der SPD-Ortsgruppe bestand.«

»Und?«

»Die wollten partout nicht mitsingen«, sage ich und kicke eine leere Schnapspralinenpackung in Richtung Pizzakarton. »Dabei habe ich die mehrfach aufgefordert.«

»Hättste lieber mal vorneweg ein bisschen Marktforschung gemacht«, sagt das Känguru. »›Wer hat uns verraten? Christdemokraten!‹ reimt sich doch genauso gut.«

»Ja«, sage ich. »Ich muss mich einfach noch mehr als Dienstleister verstehen.«

»Kann dir doch egal sein, was du singst«, sagt das Känguru. »Die Leute haben bezahlt. Also sing gefälligst, was sie hören wollen.«

»Weißt du«, sage ich, »das Komischste war ... Es hat denen überhaupt nicht gefallen, was wir auf der Bühne gemacht haben. Aber die haben die ganze Zeit brav geklatscht.«

»Das sind die so gewohnt von ihren Parteitagen«, sagt das Känguru.

Ich schalte mit der Fernbedienung Fernseher und Videorecorder an. Bud Spencer jagt Terence Hill über den Strand und bewirft ihn mit Kokosnüssen.

»Und was hast du so gemacht?«, frage ich.

»Ich habe gerade in der Hängematte Paul Lafargues *Das Recht auf Faulheit* gelesen und bin dabei eingedöst«, sagt das Känguru.

»Du hast den ganzen Tag verpennt?«, frage ich, hänge die Füße über die Rückenlehne der Couch und lasse meinen Kopf nach unten baumeln. Seit das Känguru den Fernseher repariert hat, steht das Bild nämlich auf dem Kopf.

»Ich habe nicht geschlafen«, sagt das Känguru. »Ich habe mich nur geschont. Außerdem habe ich den ganzen Morgen damit verbracht, eine Not-to-do-Liste zu erstellen.«

»Bitte was?«

»Eine Liste mit Sachen, die ich als schlecht für mich, für andere oder für die Umwelt einstufe. Heute Abend werde ich alles markieren, was ich nicht gemacht habe. Und das wird mir ein gutes Gefühl geben.«

»Und so lange bleibst du in der Hängematte liegen?«, frage ich.

»Ist nicht viel anderes übriggeblieben«.

Terence Hill ist schneller als Bud Spencer. Mir wird schwindelig. Ich habe zu viel Blut im Kopf.

»Statt immer mit dem Kopf nach unten rumzuhängen, könnten wir auch einfach den Fernseher umdrehen«, sage ich.

»Mach doch«, sagt das Känguru.

»Später«.

Mein Blick fällt auf das schiefe Regalbrett, von dem früher immer die Bücher runtergerutscht sind. Jetzt rutschen die Bücher nicht mehr. Sie stecken in Stoppersocken.

»Mir ist schlecht«, sage ich. »Kannst du mich bitte umdrehen?«

Das Känguru kommt und stellt mich vom Kopf auf die Füße.

Ich schalte den Videorecorder aus.

»Ich habe heute früh im Zug ein neues Gedicht gemacht!«, sage ich.

»Nummer 5«, sagt das Känguru.

»Was?«

»Nummer 5 auf meiner Not-to-do-Liste«, sagt das Känguru. »Gedichte schreiben.«

»Du weißt, dass ich mich von sarkastischen Bemerkungen nicht aufhalten lasse.«

»Ja«, sagt das Känguru. »Ich habe eine ziemlich eindeutige Langzeitstudie darüber gemacht.«

»Aufgepasst«, sage ich.

»Es sagt viel über die Welt aus, mein Kind,
sagte der Vater zum Knaben,
dass die Dummen glücklich sind
und die Schlauen Depressionen haben.«

»Hast du Depressionen?«, fragt das Känguru.

»Nee«, sage ich. »Du?«

»Nee.«

Plötzlich klingelt es von irgendwoher.

»Wie dem auch sei«, sagt das Känguru, zieht einen Wecker aus seinem Beutel und schaltet ihn aus. »Ich geh jetzt schlafen.«

Ich kratze mich am Bart.

»Ist es nicht anstrengend, immer alles genau andersherum zu machen als der Rest der Welt?«, frage ich.

»Es geht«, sagt das Känguru und legt sich wieder in seine Hängematte. »Guten Tag.«

Wir laufen quer über den Alexanderplatz. Vorbei an einem Grillwalker, einem Verrückten mit einem Infostand und ein paar Freaks, die sich als Statuen verkleidet haben, sogenannte Dastehende Künstler. Das Känguru grüßt einen Typen, der alte Sowjet-Accessoires verkauft. Wir sind schon fast an der Weltzeituhr vorbei, da winkt uns ein Mann zu sich.

»Can you please take a picture from us?«, fragt er lächelnd in wackeligem Englisch und zeigt auf sich und seine Familie.

»Yeah. Why not …«, sagt das Känguru schulterzuckend. »You look funny.«

Es holt eine Wegwerfkamera aus seinem Beutel, knipst und steckt sie wieder ein.

»No! No!«, sagt der Mann. »With my camera!«

»Ach …«, das Känguru seufzt. »Nee …«

»Na komm schon«, sage ich.

Das Känguru schüttelt seinen Kopf.

»I can do it«, biete ich dem noch immer lächelnden Mann an. Er nickt, und ich nehme die Kamera.

KNIPS.

»Okay?«, frage ich.

Der Mann blickt kritisch auf das kleine Display.

»No! With the TV-Tower please.«

»Okay«, sage ich.

KNIPS.

»Okay?«

»No! The whole tower please.«

»That is impossible! It is too big!«

»No! You go back please.«

Ich gehe zehn Schritte zurück.

»No. No. You go more back.«

Ich seufze und lasse die Kamera sinken.

»I can do it«, sagt das Känguru.

Der Mann nickt.

Das Känguru hüpft back, more back, much more back … Schließlich hüpft es um eine Straßenecke und ist verschwunden. Die Familie lächelt immer noch fürs Foto. Nach ein paar Sekunden hört der Vater auf zu lächeln.

»Will it come back?«, fragt er. »The kangaroo?«

»Also …«, sage ich. »Nach umfassenden Studien meinerseits zum Verhalten dieses Beuteltieres würde ich die Chancen für das Eintreffen des von Ihnen angefragten Ereignisses als gegen null tendierend einstufen.«

»What?«

»I don't think so.«

Eine halbe Stunde später finde ich das Känguru wieder. Es prügelt sich vor dem Marx-Engels-Denkmal mit einer lebenden Statue. Kurz überlege ich, ob ich schlichtend eingreifen oder das Ganze lieber, wie alle anderen Umstehenden auch, mit meiner Handykamera filmen soll.

»Hey, hey, hey!«, rufe ich schließlich und gehe dazwischen. »Was soll das denn?«

»Schiller hat angefangen«, schimpft das Känguru.

»Ich bin nicht Schiller«, sagt die Statue aufgebracht. »Ich bin Goethe!«

»Locker bleiben, Friedrich«, sagt das Känguru.

»Ich bin nicht Schiller«, ruft die Statue.

»Nicht aufregen«, sage ich. »Alle Menschen werden Brüder und so weiter.«

»Ich bin nicht Schiller«, schreit die Statue.

Das Känguru holt die Kamera des Touristen aus seinem Beutel und macht ein Foto von der Statue. Ich werfe dem aufgebrachten Schiller eine Münze in seine Mütze und schiebe das Känguru weg.

»Die Aktion vorhin war witzig, was?«, fragt es und hält die Kamera in die Höhe.

»Nun ja«, sage ich. »Ich hab so getan, als ob ich dich nicht kenne. Mache ich öfter.«

Das Känguru stibitzt dem Grillwalker im Vorübergehen ein Würstchen vom Grill. Ich mache einen Schritt zur Seite, deute auf das Känguru und sage: »Kenne ich nicht.«

»Komm. Ich zeig dir was noch Witzigeres«, sagt das Känguru.

Es hüpft auf einen Passanten zu und reicht ihm die Kamera.

»Can you please take a picture from us?«, fragt es.

Der Mann nickt und nimmt die Kamera.

»Lauf!«, flüstert mir das Känguru zu und hüpft los. Ich renne hinterher, und wir verschwinden schnell um zwei Straßenecken.

»Das verwirrt die Leute immer total«, sagt das Känguru fröhlich.

»Das glaube ich«, sage ich und ringe nach Atem. »Und was machen wir jetzt?«

Das Känguru holt ein Dutzend billiger Fahrradschlösser aus seinem Beutel. »Jetzt gehen wir zum Alexa-Shopping-Center, schließen fremde Fahrräder fest und setzen uns mit einem Coffee-to-go auf die andere Straßenseite.«

»Das hört sich doch nach 'nem Plan an«, sage ich.

»Du musst den Kaffee bezahlen.«

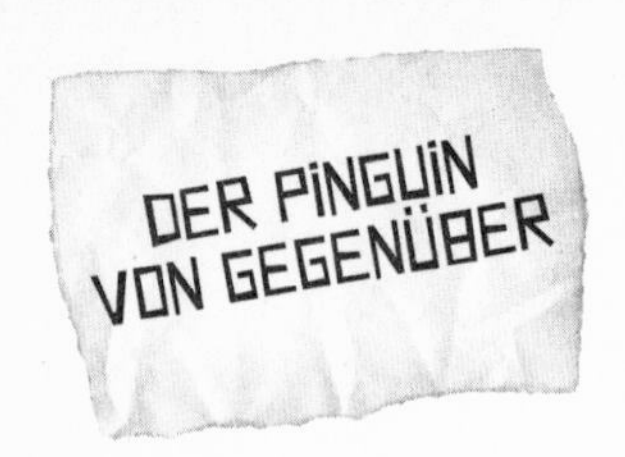

Ich sitze vor meinem Manuskript. Es muss ein letztes Mal überarbeitet werden.

Ich habe ein Buch geschrieben über einen Künstler[2], in dessen Wohnung ein kommunistisches Känguru einzieht.

Manche Autoren behaupten ja, ihre Geschichten seien vollkommen fiktiv und würden weder von ihnen selbst noch von ihrer Umgebung handeln. Na klar. Und manche Banker behaupten, ihnen liege nichts am Geldverdienen, sie würden einfach gern mit Zahlen arbeiten.

Das Känguru schlurft schlotternd ins Wohnzimmer.

»Seit der Pinguin gegenüber eingezogen ist, ist es immer so kalt im Hausflur«, schimpft es und schlägt auf seinen Boxsack ein.

»Du kannst ihn nur nicht leiden, weil er einen festen Job hat«, sage ich.

Der Pinguin arbeitet als Vertreter für Tiefkühlkost.

»Hast du gesehen, was der für riesige Klimaanlagen in seine Wohnung hat einbauen lassen? So groß wie in ’nem Flughafen«, sagt das Känguru. »Der kühlt seine Räume bestimmt auf null Grad runter. Scheiß-Gentrifizierer.«

2 Kleinkünstler! Anm. des Kängurus

»Letztens hatte ich den Gedanken, dass jeder, der das Wort Gentrifizierung kennt, Teil derselben ist«, sage ich.

»Irgendetwas ist verdammt fischig an diesem falschen Vogel«, sagt das Känguru. »Wenn wir wegen dem eine höhere Heizkostenabrechnung bekommen, geh ich aber rüber und werde ihm was erzählen.«

»Ja?«, frage ich. »Was wirst du ihm denn erzählen? Einen Witz? Eine Gutenachtgeschichte? Einen Schwank aus deinem Leben? Vielleicht etwas aus deiner Zeit beim Vietcong?«

»Huch!«, ruft das Känguru und springt zur Seite.

»Was soll das?«

»Na, fast wäre ich von deiner schlechten Laune überfahren worden.«

»Die ist hart erarbeitet«, sage ich.

»Ah ja?«, fragt das Känguru und legt sich in seine Hängematte.

»Ja. Ich hab fünfzehn Mal auf der niedrigsten Schwierigkeitsstufe gegen mein Handy beim Tennisspielen verloren.«

»Hast du nichts zu tun?«

»Doch.«

»Aha.«

Unser Gespräch legt eine kleine Pause ein. Ich kontrolliere meine Fingernägel auf weiße Flecken. Am linken Ringfinger sind zwei neue. Verdammt.

»Was hast du denn zu tun?«, fragt das Känguru.

»Ich muss an meinem künstlerischen Durchbruch arbeiten«.

»Du willst reich und berühmt werden?«

»Das wäre alternativ auch okay.«

»Arbeitest du da an deinem Manuskript über uns?«

»Nein«, sage ich. »Ich sitze nur davor.«

Das Känguru schwingt sich in seiner Hängematte Richtung Tisch, schnappt sich das Manuskript und blättert darin herum.

»Ich glaube übrigens, du solltest dir keine allzu großen Hoffnungen machen und dich lieber weiter an der Drei-Ball-Jonglage zum Amelie-Soundtrack versuchen«, sagt es nach einer Weile.

»Wenn ich das Buch nicht fertigkriege, geht uns bald das Geld aus«, sage ich.

»Wenn man für ein paar Tage die Möbel umstellt, kann man ganz billig Urlaub machen«, sagt das Känguru. Es wirft das Manuskript wieder auf den Tisch. Ich ziehe mein Terrakotta-Jo-Jo aus der Hosentasche und lasse es rollen.

Leise höre ich das Känguru in der Hängematte schnarchen. Am linken Daumennagel habe ich auch einen weißen Fleck. Was bedeuten diese Flecken noch mal? Calcium-Mangel? Magnesium-Mangel? Zink-Mangel? Oder zu viel Stress? Bestimmt zu viel Stress. Ist es am Ende des Tages nicht immer zu viel Stress?

Punkt 18 Uhr knallt gegenüber die Tür. Das Känguru purzelt spektakulär aus seiner Hängematte, springt sofort wieder auf, bringt seine Fäuste in Verteidigungsstellung und ruft: »Wo? Wann? Was? Wie?«

»Es ist 18 Uhr«, sage ich. »Der Pinguin ist nach Hause gekommen. Pünktlich wie immer.«

Das Känguru inspiziert panisch seine Pfoten.

»Ich hatte gerade einen Alptraum, in dem uns der Pinguin verfolgt hat«, sagt es. »Egal, wohin wir gehüpft sind, du warst auch ein Känguru, immer watschelte er uns hinterher. Wenn wir uns irgendwo niederließen, kam er um die Ecke gewatschelt, hat den Platz gekauft, saniert, teurer vermietet und dann wegen uns die Polizei gerufen. Den ganzen Traum ging das so. Doch irgendwann hatten wir ihn endlich abgehängt und einen Platz gefunden, wo wir bleiben konnten. Da hast du dich dann plötzlich in einen Pinguin verwandelt, und ich wollte mir meine Pfoten vor die Augen halten, aber es waren Flossen, und dann gab es einen Knall, und ich bin vor Schreck aufgewacht.«

Das Känguru macht eine Pause.

»Es war wie mit dem Hasen und dem Igel«, sagt es verstört.

»Nur anders«, sage ich.

»Ja. Ganz anders eigentlich.«

Ich sammle die Blätter des Manuskriptes wieder ein, die das Känguru mit seiner Slapstick-Aktion vom Tisch gefegt hat.

»Ich glaube übrigens, dass das halb so wild ist mit der Gentrifizierung«, sage ich. »Kreuzberg ist immer noch derselbe alte Arbeiterkiez.«

»Ja, ja«, sagt das Känguru. »Und Sido hat nichts von seiner Street Credibility verloren.«

»Ich geh gleich noch mal runter und hole mir einen Vanilla-Chai-Latte mit fettarmer Sojamilch«, sage ich. »Willst du auch einen?«

»Ja, aber mit bunten Streuseln bitte.«

Ich reibe mir die Augen und nehme einen großen Schluck Kaffee. Das Radio läuft.

»*Nachdem sich die wirtschaftliche Lage gestern ein wenig entspannt hatte, ist sie heute früh wieder sehr verspannt*«, sagt der Nachrichtenmann. »*Zugeschaltet ist jetzt ein Experte. Hallo.*«

»*Hallo.*«

»*Sie sind Experte. Was ist Ihre Meinung dazu?*«

»*Ich, als Experte, denke, wir sollten alle noch viel mehr Angst um unsere Arbeitsplätze haben. Ferner sollten wir den unteren Schichten unbedingt mit Verachtung begegnen, weil wir unbewusst Angst haben, selbst in diese Schichten abzurutschen. Schließlich sollten wir die Schuld an der Misere nötigenfalls Randgruppen zuschieben. Das sind einfache Maßnahmen, sie müssen nur konsequent umgesetzt werden.*«

Ich nehme noch einen großen Schluck Kaffee.

»*Verstehe*«, sagt der Nachrichtenmann. »*Ein Sprecher des neugegründeten Ministeriums für Produktivität erklärte gestern, produktiv sei, was Arbeit schafft und dies …*«

Das Känguru stürmt in die Küche, schaltet das Radio aus, knallt einen Schreibblock nebst Stift auf mein Frühstück, zieht die Eieruhr auf und ruft: »Los, los. Jetzt hat jeder von uns fünf Minuten, um sich seine Geschäftsidee der Woche auszudenken.«

»Und was machen wir dann?«, frage ich.

»Genau dasselbe wie jeden Tag, Pinky«, sagt das Känguru. »Wir versuchen, die Weltherrschaft an uns zu reißen.«

Ich gähne, reibe mir die Augen und … Der Kaffee ist alle. Verdammt. Das Känguru holt noch einen Block für sich selbst aus seinem Beutel.

»Los! Los!«

Es überlegt kurz und beginnt dann wie wild zu kritzeln.

»Was soll das denn?«, frage ich müde.

»Ich habe gerade herausgefunden, dass man länger Geld vom Arbeitsamt bekommt, wenn man sich mit einem Projekt für die Selbständigkeit anmeldet.«

»Warum bekommst du überhaupt Arbeitslosengeld?«, frage ich.

»Die Wege der Bürokratie sind unergründlich«, sagt das Känguru.

»Was?«

»Sagen wir: Ich kenne einen, der einen kennt, der einen kennt. Los jetzt! Ich brauche eine zündende Idee! Fünf Minuten! Auf geht's.«

Ich nehme den Stift und kaue darauf rum. Die Eieruhr klingelt. Ich wache auf.

»Stopp! Stopp!«, ruft das Känguru. »Zeit ist um. Was hast du aufgeschrieben?«

»Du zuerst«, sage ich.

»Ich werde eine TV-Produktionsfirma gründen, die passend zum jederzeit wiederzuerwartenden Zusammenbruch des Weltwirtschaftssystems und der darauf folgenden Rückkehr zur Subsistenzwirtschaft eine Dating-Show produziert namens ›Frau sucht Bauer!‹«

Ich blinzle und muss schon wieder gähnen.

»Deine Reaktion ist nicht zufriedenstellend«, sagt das Känguru.

Ich gähne.

»Hm«, sagt das Känguru. »Und was hast du dir so gedacht?«

»Ach …«, sage ich.

»Na was?«

»Willst du das wirklich wissen?«

»Na klar!«

»Ich dachte gerade: ›Jeden Morgen, wirklich jeden Morgen …‹«, ich seufze, »›… muss man aufstehen.‹«

Die Gesichtszüge des Kängurus entgleisen. Der Stift fällt aus seiner rechten Pfote. Es lässt den Kopf hängen und starrt auf den Boden.

»Jeden Morgen …«, sage ich kopfschüttelnd.

Einige Minuten sitzen wir schweigend in der Küche. Dann zerknüllt das Känguru sein Konzept und wirft es in die Ecke.

»Weißt du, dass du manchmal etwas unglaublich Deprimierendes an dir hast?«, fragt es.

Ich schalte das Radio wieder an.

»Die neue Social-Marketing-Kampagne ›Ich arbeite gern für meinen Konzern‹ der Initiative Für Mehr Arbeit *findet in der Bevölkerung viel positive Resonanz. Laut einer Umfrage des* German Institute For Manufacturing Consent (GIFMC) *unter repräsentativ ausgewählten Mitarbeitern des* German Institute For Manufacturing Consent (GIFMC) *würden 69 Prozent der Bundesbürger lieber einen entfernten Verwandten verlieren als ihren Arbeitsplatz.«*

Das Känguru schaltet das Radio wieder aus.

»Wirklich jeden Morgen …«, sage ich. »Ohne Ausnahme.«

Das Känguru zieht an seiner Tüte.

»Schon mal drüber nachgedacht, dass es von uninformiert kein langer Weg zu uniformiert ist?«, fragt es und legt die Tüte im Blumenkasten ab. »Man muss nur ein ›n‹ wegnehmen.«

Dann spuckt es in den Blumenkasten.

»Bäh! Das ist ja eklig!«, rufe ich.

»Was denn? Soll ich etwa vom Balkon runterspucken?«, fragt das Känguru und spuckt noch mal in den Blumenkasten. Es friemelt sich etwas Tabak aus dem Mund. »Der Filter ist nicht so gut geworden.«

Ich blicke auf die unzähligen toten Pflanzen in den Kästen.

»Was für ein Massaker«, sage ich kopfschüttelnd.

»Willst du unterstellen, die Pflanzen sind kaputtgegangen, weil ich da ab und zu reingespuckt habe?«

»Entweder das, oder du hast ihnen zu viele Wortwitze erzählt.«

»Au contraire!«, ruft das Känguru. »Ich glaube, Gerlinde gesagt, dass die Pflanzen vertrocknet sind, weil ich nicht oft genug reingespuckt habe.«

»Das ist wahrscheinlich hochgiftig, was du da ausspuckst.«

»Quatsch. Ich kann gut mit Pflanzen«, sagt das Känguru. »Ich habe den grünen Gaumen.«

»Boah. Wie widerlich.«

Das Känguru spuckt noch mal auf die toten Küchenkräuter.

»Und ich hatte mir letzten Sommer Sorgen gemacht«, sage ich, »weil ich das Gefühl hatte, von der Petersilie high zu werden …«

»Fressflash!«, ruft das Känguru und zieht einen halbgegessenen Schokoweihnachtsmann aus seinem Beutel.

»Früher haben wir immer die Verpackungen von den Schokoweihnachtsmännern sehr sorgfältig abgezogen und geplättet, und dann haben wir auf dem Schulhof miteinander getauscht«, sagt das Känguru. »So war das damals im Osten.«

»Als ich zur Grundschule ging, da hatten alle so tolle Stickeralben«, sage ich. »Mit bunten, glitzernden, sogar mit phosphoreszierenden Aufklebern. Nur ich war der einzige Junge auf der ganzen Welt, dem seine Eltern kein Stickeralbum gekauft hatten. Ich weiß nicht mal mehr, warum. Wahrscheinlich fanden sie es zu teuer oder zu blöd, oder sie konnten mich nicht leiden. Jedenfalls habe ich mir dann selber ein Stickeralbum gebastelt, indem ich die leeren Folien zusammentackerte, die übrigblieben, wenn mein Papa seine Adressaufkleber verklebt hatte. Darin habe ich dann ›Schreib mal wieder‹-Aufkleber von der Bundespost – die waren weiß, oval und mit einer fetten Taube – und diese furchtbar hässlichen ›Ein Herz für Kinder‹-Aufkleber gesammelt.«

»Warum hast du nicht gleich die Adressaufkleber von deinem Vater gesammelt?«, fragt das Känguru.

»Habe ich«, sage ich. »Davon hatte ich 'ne ganze Menge im Album.«

»Niedlich.«

»Aber die anderen Kinder wollten nie Aufkleber mit mir tauschen.«

»Es muss hart gewesen sein, im Kapitalismus aufzuwachsen«, sagt das Känguru. »Ihr durftet ja nicht mal ohne Gängeleien ins schöne Mecklenburg fahren, um Urlaub zu machen.«

»Nee«, sage ich. »Immer nur in die Südsee. Jedes Jahr in die Südsee.«

»Das muss genervt haben.«

»Das hat genervt«, sage ich. »Aber es war auch nicht alles schlecht im Westen ...«

»Zum Beispiel hattet ihr Farben«, sagt das Känguru.

»Ja, und wir hatten in Einkaufszentren riesige Container mit unfassbar vielen kleinen, giftigen Plastikbällen, wo man seine Kinder loswerden konnte. Was ich damals schon an Weichmachern gelutscht habe ... Na ja, wie dem auch sei, ich fand mein Stickeralbum trotzdem super. Ich habe das sogar noch in einer Kiste auf dem Schrank.«

»Ich hab die Weihnachtsmänner bestimmt auch noch irgendwo«, sagt das Känguru und beginnt tief unten in seinem Beutel zu graben. Allerhand Dinge, die im Weg sind, wirft es achtlos zur Seite. Zwei rote Boxhandschuhe, eine Packung Schnapspralinen, Band 17 bis 23 der Marx-Engels-Werke, diverse Aschenbecher, ein sich selbst aufblasendes Riesenkänguru, einen Tacker, einen Flachbildschirm, einen Bolzenschneider und ein Fabergé-Ei, das ich gerade noch auffangen kann. Es zieht eine riesige Mindmap aus seinem Beutel, auf der »Masterplan« steht, und danach einen kleinen Zettel, auf den es die Weltformel gekritzelt hat: »0=0«. Schließlich zieht es ein Elementarlehrbuch Deutsch für Ausländer hervor.

»Hier! Kuck!«, sagt es. »Damit hab ich Deutsch gelernt.«

»Echt?«, frage ich.

»Ja, kurz nach dem Vietnamkrieg, als wir aus Ho-Chi-Minh-City nach Ostberlin gekommen sind.«

»Davon hast du mir noch nie erzählt.«

»Na ja«, sagt das Känguru. »Da gibt's nicht viel zu erzählen. Mutti und ich kamen ja als Vertragsarbeiter in die DDR. Beim Vietcong gab es nichts mehr für uns zu tun, und in Ostdeutschland herrschte Arbeitskräftemangel, deshalb hat die DDR Arbeiter aus sozialistischen Bruderstaaten eingeladen.«

Das Känguru reicht mir das Lehrbuch. Es heißt: *Guten Tag, Kollege!*

Ich schlage es in der Mitte auf und lese laut vor:

»Lesen Sie!

Die Fahrt in den Betrieb

Peter:	Guten Tag, Antonio und Carlos. Was habt ihr heute gemacht?
Antonio:	Wir sind heute das erste Mal in den Betrieb gefahren.
Peter:	Wann seid ihr zur Haltestelle gegangen?
Carlos:	Schon um 5:20 Uhr. Zuerst ist der Bus Linie 12 gekommen, aber den Bus haben wir nicht genommen. Er fährt nicht zum Betrieb.
Peter:	Habt ihr lange gewartet?
Antonio:	Vielleicht 10 Minuten.
Peter:	Und wie lange dauert die Fahrt zum Betrieb?
Antonio:	Ungefähr 15 Minuten.
Peter:	Habt ihr pünktlich mit eurer Arbeit begonnen?
Carlos:	Ja, pünktlich um 6.«

Ich klappe das Buch wieder zu.

»Glaubst du, Peter war bei der Stasi?«, frage ich.

»Wahrscheinlich waren sie alle drei bei der Stasi«, sagt das

Känguru. »Ich stand jedenfalls nicht um 5:20 an der Bushaltestelle, um den Leuten in der Linie 12 zu winken. Klapp mal ganz hinten auf.«

Ich tue wie mir geheißen. Da liegen sorgfältig abgezogen und geplättet zwei Weihnachtsmänner.

»Los! Hol dein Stickeralbum«, sagt das Känguru, »dann können wir tauschen.«

Ich setze mich an meinen Computer und hole meine E-Mails ab. Einige davon lese ich und schiebe sie in den »Beantworten«-Ordner meines Mail-Programms. Dann verschiebe ich ein paar ältere E-Mails aus dem »Beantworten«-Ordner in den »Dringend«-Ordner, und dann verschiebe ich ein paar noch ältere E-Mails aus dem »Dringend«-Ordner in den »Wirklich dringend«-Ordner. Dann lösche ich einige von der Zeit überholte E-Mails aus dem »Wirklich dringend«-Ordner und schalte den Computer wieder aus. Es überkommt mich das wohlige Gefühl, heute schon richtig was erledigt zu haben.

Das Känguru sitzt am Schreibtisch und kritzelt in ein kleines Buch.

»Hast du zufällig mein Jo-Jo gesehen?«, frage ich. »Weißte? Das aus Terrakotta, das mir der chinesische Jo-Jo-Guru geschenkt hat.«

»Nein«, sagt das Känguru ohne aufzublicken.

»Ich warne dich«, sage ich. »Wenn du es heimlich genommen hast, dann müsste ich das als Vertrauensbruch erster Güte werten und die Konsequenzen …«

»Schreib mir doch diesbezüglich eine E-Mail«, sagt das Känguru, »und setze die Worte Viagra und Penispumpe in den Betreff. Dann kümmert sich mein Spamfilter drum. Und jetzt sei still, ich muss mich konzentrieren.«

»Was schreibste denn da überhaupt?«

»Ich habe mich entschlossen, ein Tagebuch zu führen. Der Gedanke wurde mir nämlich unerträglich, dass meine unglaublich reiche und gehaltvolle Gedankenwelt für die Nachwelt verloren sein soll.«

»Aber ich schreibe doch sowieso immer alles mit«, sage ich.

»Nicht meine innersten Gedanken«, sagt das Känguru. »Die kennst du nicht.«

»O doch!«, sage ich. »Ich weiß, was du denkst.«

»So?«, fragt das Känguru. »Was denke ich denn?«

»Du denkst: ›Zeit für ein Schnitzelbrötchen.‹«

Das Känguru blickt auf.

»Das war nur Zufall!«, ruft es.

»Darf ich dein Tagebuch lesen?«, frage ich.

»Oh! Ganz im Gegenteil«, sagt das Känguru. »Das müsste ich als Vertrauensbruch erster Güte werten.«

Es steht auf, packt das Buch in die Schreibtischschublade und schließt diese ab.

»Ich geh jetzt ins Fitnessstudio«, sagt es. »Muss für die Schachboxweltmeisterschaft trainieren«, und gleich darauf ist es verschwunden.

Der Schlüssel zur Schublade steckt.

Plötzlich höre ich die Stimme von Prinzessin Leia in meinem Kopf. Sie ruft: »Luke! Luke! Eine Falle! Eine Falle!«

Vorsichtig öffne ich die Schublade. Nichts explodiert. Ich nehme das Büchlein heraus und lese:

»Hallo blödes Tagebuch. Es langweilt mich jetzt schon, dir zu berichten. Der Gedanke, in späterer Zeit nachlesen zu müssen, was für einen Schwachsinn ich heute gedacht habe, ist mir ein Gräuel. Zum Beispiel habe ich mich heute Morgen gefragt, in wie vielen amerikanischen Universitäten Kant wegen seines obszönen Namens wohl vom Lehrplan gestrichen wurde.

Und danach kam mir der Gedanke, dass mal jemand ein Wort erfinden sollte, das man fluchend rufen kann, wenn einem plötzlich auffällt, dass man ganz schön verarscht worden ist. Ich schlage ›Razupaltuff!‹ vor.

Jetzt gerade denke ich, dass ich versuchen sollte, den geliebten Führer Nordkoreas, den iranischen Präsidenten, den israelischen Premier und die ehemalige Gouverneurin von Alaska dazu zu bringen, ihre finanziellen Differenzen zu überwinden und unter dem Namen ›Die Fanatischen Vier‹ die erste schwizerdütsche Hip-Hop-Platte von Weltgeltung zu veröffentlichen. Ich würde das produzieren. Und dann würde ich ihnen ein Konzert in der CO_2*-Arena organisieren. Ach! Ich muss gestehen, blödes Tagebuch, dass ich dich eigentlich nur angelegt habe, weil ich Marc-Uwes blödes Terrakotta-Jo-Jo kaputt gemacht habe, und weil ich weiß, dass er nicht widerstehen kann, dich heimlich zu lesen. – Ha! Du bist so leicht zu spielen wie eine Kinderflöte, Alter! – Nun ja. Jedenfalls weißt du es jetzt, aber du darfst mir keine Szene machen, weil dann müsstest du zugeben, dass du heimlich mein Tagebuch gelesen hast, und dann wären wir Vertrauensbruch-erster-Güte-mäßig quitt, und du dürftest drum nicht mit mir schimpfen, und egal, welchen Weg du wählst, er wird dich in den Wahnsinn treiben.*

Schönen Tag noch! Dein Känguru.

PS: Falls du einkaufen gehst, bring bitte Schnapspralinen mit.«

»Razupaltuff«, murmle ich.

»Verficktearschkackwichsscheißdrecksscheiße!«, fluche ich und schlage mit der Faust auf den Drucker. Das tut weh. Das Känguru steckt seinen Kopf zur Tür herein:

»Alles okay?«, fragt es.

»Ich muss unbedingt mein Manuskript ausdrucken, aber diese verdammte Kackekackewichsdrecksmaschine ist schon wieder am Arsch!«, fluche ich.

Das Känguru schlurft herein, drückt zwei, drei Knöpfe[3] – und plötzlich funktioniert alles.

»Häufig ist ja gar nix kaputt«, sagt das Känguru, »man ist nur zu blöd. Wenn du verstehst, auf was ich hinaus will ...«

»Auf eine Frechheit!«

»Schön, dass ich mich verständlich machen konnte.«

Kurz überlegt das Känguru, dann sagt es: »Als die CD-ROM eingeführt wurde, habe ich mir mal so ein Computerspiele-Magazin mit beigelegter CD gekauft, und da hat sich jemand in einem Leserbrief beschwert, dass die Diskette vom letzten Heft bei ihm nicht funktionieren würde, obwohl er sie extra so zugeschnitten habe, dass sie ins Diskettenlaufwerk passe. Ich wollte dich schon länger mal fragen, ob du das warst.«

»Pah! Ich habe schon über ein verficktes 5 1/4-Zoll-Lauf-

---

3 Er meint Tasten. Anm. des Kängurus

werk *Gorilla* und *Nibbles* gespielt, da hattet ihr noch nicht mal bekackte Lochkarten.«

»Du weißt schon, dass du ganz schlimm an einem Technik-Tourette-Syndrom leidest?«, fragt das Känguru.

»Ja, aber ich kann mir nicht helfen«, sage ich. »Diese verfickte Drecksfaschoarschgeigenpissrotznaziwichsrtl2kacke regt mich einfach auf.«

»Verstehe«, sagt das Känguru.

Es schlägt mit einer Rechts-links-rechts-Kombination auf seinen Boxsack ein.

»Hast du übrigens gesehen, dass der blöde Pinguin schon wieder die Müllsäcke vor unsere Tür geschoben hat?«, fragt es.

»Der Pinguin hat seine Müllsäcke vor unsere Tür gestellt?«, frage ich.

»Nein, nein, nein«, sagt das Känguru. »Das sind unsere Müllsäcke. Ich hatte sie ins Treppenhaus gestellt, damit sie nicht unseren Flur vollstinken, und wollte sie später runtertragen. Und da hat der blöde Pinguin die Säcke einfach direkt vor unsere Tür geschoben.«

»Wo hattest du die Säcke denn hingestellt?«

»Na ungefähr so mittig ...«

»Und wann hast du das gemacht?«

»Na ungefähr vor zwei, drei, vier, fünf Tagen«, sagt das Känguru. »Sechs vielleicht. Höchstens sieben.«

»Und warum hast du den Müll nicht gleich zur Tonne getragen?«

»Blöde Frage!«, sagt das Känguru. »Warum hast du den Müll nicht zur Tonne getragen?«

»Touché.«

»Jedenfalls habe ich jetzt die Müllsäcke direkt vor seine Tür geschoben.«

Ich seufze und blicke auf die Uhr. »Seit 17:45 wird zurückgeschoben«, sage ich.

»Man muss den Leuten Grenzen setzen«, sagt das Känguru. »Sonst tanzen sie einem auf den Ohren rum.«

»Auf der Nase.«

»Auch da.«

Es klingelt. Erschrocken blicken wir uns an.

»Am besten wir tun so, als wären wir nicht zu Hause«, sagt das Känguru.

Es klingelt noch einmal.

»Ich mach jetzt auf«, flüstere ich. »Vielleicht ist es ja gar nicht der Pinguin.«

»Nein!«, flüstert das Känguru aufgeregt. »Es ist bestimmt der Pinguin. Nicht aufmachen!«

»Vielleicht will er sich nur was borgen«, flüstere ich. »Für Eierkuchen. Ein bisschen Milch. Oder ein Ei.«

»Soll er sich eins legen«, zischt das Känguru.

Ich gehe zur Tür und öffne. Vor der Tür liegen zwei leere Müllsäcke. Ihr Inhalt liegt ausgekippt daneben. Das Känguru schlurft von hinten herbei und schüttelt seinen Kopf.

»Das bedeutet Krieg«, murmelt es.

»Tamm tamm taaaahhm!«, imitiere ich eine dramatische Fanfare.

»Immer, wenn du das machst, fühle ich mich nicht richtig ernst genommen«, sagt das Känguru.

»Ich würde dich ja bitten, vernünftig zu sein, aber das steht wahrscheinlich auf deiner Not-to-do-Liste«, sage ich.

»An zweiter Stelle«, sagt das Känguru.

Es kratzt sich an der Nase.

»Wir müssen zur Müllkippe fahren und dort so viel Müll klauen, dass wir die Tür des Pinguins komplett unter Müll begraben können«, sagt es.

»Oder aber«, sage ich nach einer kurzen Pause, »wir machen das nicht.«

»Das wäre die Alternative«, sagt das Känguru.

Ich stöbere mit dem Schuh im Müll.

»Du hast dir Yogurette gekauft?«

Schlecht gelaunt sitze ich in einem Café neben dem Theater und lasse mein neues Plastik-Jo-Jo hoch- und runterrollen. Auf der anderen Straßenseite wird an einer Werbetafel gerade ein neues Plakat der *Initiative Für Mehr Arbeit* angebracht. Darauf sieht man eine adrett lächelnde junge Frau mit Headset. Unter dem Bild steht in großen Lettern: »Ich bin nur froh – im Großraumbüro.«

Das Känguru kommt die Straße runtergetrottet.

»Na, allet schick?«, fragt es und setzt sich zu mir an den Cafétisch.

»Du bist zu spät«, sage ich verärgert.

»Na, dann verpassen wir halt die ersten fünf Minuten.«

»Es gibt keinen Nacheinlass.«

»Wieso bist du nicht einfach reingegangen?«

»Du hast die Tickets.«

»Ach, echt?«, fragt das Känguru und kramt in seinem Beutel. »Äh ... kuck an. Äh ... hab ich offenbar zu Hause vergessen.«

Ich sage nichts und starre auf mein Jo-Jo.

»Na ja. Glück im Unglück«, sagt das Känguru. »Da hätten wir uns jetzt schön geärgert, wenn ich die Tickets dabeigehabt hätte, wo doch kein Nacheinlass ist. Oder wenn noch Nacheinlass gewesen wäre, wo ich doch die Tickets vergessen habe.«

Ich schüttle nur den Kopf.

»Bist du sauer?«, fragt das Känguru.

»Die Formulierung ›Glück im Unglück‹ ist hier völlig unpassend«, sage ich. »Und außerdem habe ich das ungute Gefühl, dass ich jedes Mal, wenn wir uns verabreden, auf dich warten muss.«

»Äh … Und ich habe das ungute Gefühl, dass du nie das Bad putzt«, erwidert das Känguru.

»Ach? Und wann hast du das letzte Mal eingekauft?«, frage ich.

»Und du kaufst immer nur fettarme Milch«, ruft das Känguru. »Als ob schon jemals irgendjemand von Vollmilch fett geworden wäre!«

»Und immer, wenn du etwas Unangenehmes machen sollst, steht es zufälligerweise auf deiner Not-to-do-Liste«, sage ich.

»Das hat nichts mit Zufall zu tun«, sagt das Känguru. »Und außerdem, als du gesagt hast, dass du dich auf jeden Fall auch im Fitnessstudio anmelden würdest, wenn ich mich anmelde. Da hast du mich angelogen!«

»Das war keine Lüge!«, sage ich. »Das nennt man Ironie!«

»Und als ich dir erzählt habe, dass ich eine E-Mail von 'nem Typen bekommen habe, der Geld auf mein Konto überweisen will … Da hast du gesagt, das sei bestimmt voll das supergute Geschäft für mich …«, sagt das Känguru. »Auch eine Lüge!«

»Ironie!«, rufe ich. »Ironie! Und ganz bestimmt keine Einladung, einem wildfremden Idioten meine Kontodaten zu schicken.«

»Er hatte geschrieben, dass er da Geld drauf überweist!«, ruft das Känguru.

»Aber wenn du mal ganz selbstkritisch darüber nachdenkst …«, sage ich.

»Das steht auf meiner Not-to-do-Liste«, sagt das Känguru.

»… musst du doch zugeben«, fahre ich fort.

»Das steht auch auf meiner Not-to-do-Liste.«

»Dabei fällt mir ein, dass du dich, ohne mich zu fragen, unter meinem Namen und mit meiner Kreditkarte bei *World of Warcraft* angemeldet hast«, sage ich.

»Ich selber muss unsichtbar bleiben!«, ruft das Känguru. »Und überhaupt! Da letztens! Da hast du genau gesehen, dass da vor der Eisdiele eine Glastür war, aber du hast mich nicht gewarnt, weil du darüber lachen wolltest, wie ich volle Kanne dagegenhüpfe!«

»Das ist eine infame Unterstellung!«, rufe ich. »Auch wenn es unfassbar lustig aussah.«

»Selber infam!«, ruft das Känguru völlig außer sich. »Und außerdem … und außerdem … hast du nicht das Bad geputzt!«

»Und du kaufst nie ein!«, werde ich lauter. »Und überhaupt, was hat das alles damit zu tun, dass du immer zu spät kommst? Hast du etwa noch das Bad geputzt, bevor du losgegangen bist?«

»Äh. Nicht direkt. Ich hab *World of Warcraft* gespielt … Aber natürlich fehlt mir, global betrachtet, diese zusätzliche halbe Stunde, die ich geputzt habe, in meinem Lebensplan, und irgendwo, irgendwann muss das kompensiert werden.«

»Das ist doch Quatsch! Ich glaube, du wolltest mir unbewusst nahelegen, dass du bereit wärest, weiter drüber wegzusehen, dass ich nie putze, wenn ich weiter drüber wegsehen würde, dass du immer zu spät kommst. Nur deswegen hast du das Vorwurfs-Karussell angeworfen.«

»Das was?«

»Das Vorwurfs-Karussell ist das treibende Prinzip unserer Gesellschaft. Wenn irgendwo irgendetwas schiefläuft, hauen sich alle Beteiligten danach so lange zusammenhangslos Vorwürfe um die Ohren, bis allen schwindelig ist und sie wieder aus dem Karussell hinaustorkeln, und zwar genau da, wo sie eingestiegen sind, nur dass ihnen jetzt auch noch schlecht ist.«

»Ach, du meinst die Trockner-Theorie?«, fragt das Känguru. »Unzählige Umdrehungen in Höchstgeschwindigkeit produzieren kein Ergebnis außer heißer Luft?«

»Und du bist ein Hochleistungstrockner«, sage ich.

»Immerhin bin ich nicht vor der Aktionärsversammlung der Sparkasse aufgetreten«, sagt das Känguru.

»Das war weder eine Aktionärsversammlung noch die Sparkasse«, rufe ich. »Das war ein Poetry-Slam-Workshop für die mittlere Verwaltungsebene der Deutschen Bank. Das weißt du genau, und dass ich etwas tue, heißt noch lange nicht, dass ich damit einverstanden bin, und außerdem hat das verdammt noch mal nichts damit zu tun, dass du ständig zu spät kommst.«

»Entschuldigen Sie bitte«, sagt eine teuer eingekleidete Frau mit Dauerwelle, die am Nebentisch sitzt. »Könnten Sie sich bitte leiser unterhalten. Sie stören die anderen Gäste.«

»Ah ja?«, fragt das Känguru. »Immerhin trage ich keinen Pelzmantel. Also jedenfalls keinen fremden. Also keine toten Tiere.«

Fassungslos wendet sich die Dauerwelle an ihren dicken Mann. »Wie wäre es, wenn du mal Partei für mich ergreifen würdest?«

»Wie wäre es, wenn du dich mal nicht immer überall einmischen würdest«, sagt der Dicke.

»So? Wer von uns hat denn wen betrogen?«

Wütend wirft der Dicke den Zuckerstreuer auf die Motorhaube eines parkenden Autos. Ein Mann im Anzug eilt herbei.

»Was fällt Ihnen ein, Ihren Frust an meinem Auto auszulassen!«, ruft er.

»Was fällt Ihnen ein, im Halteverbot zu parken!«, ruft die Dauerwelle.

»Ich habe dir doch gesagt, du sollt hier nicht parken«, sagt eine Frau im Abendkleid zum Mann im Anzug.

»Es ist ganz allein deine Schuld, dass Tristan Drogen nimmt«, sagt der Anzug.

Ein Polizist kommt hinzu.

»Herr Wachtmeister! Dieser Dicke hier hat einen Zuckerstreuer auf das Auto meines Mannes geworfen!«, sagt das Abendkleid.

»Besser dick als doof«, sagt die Dauerwelle.

»Sie stehen hier im Halteverbot!«, sagt der Polizist.

»Immerhin bin ich nicht Polizist geworden!«, sagt der Anzug.

»Ein wahres Wort«, sagt der Dicke.

»Immerhin trägt meine Frau keine toten Tiere!«, sagt der Polizist.

Ein Fahrradfahrer rast fast in die Menge.

»Runter vom Fahrradweg!«, ruft er.

»Sie haben kein Rücklicht!«, ruft die Dauerwelle.

»Du hast doch Tristan verboten, mit Puppen zu spielen«, sagt das Abendkleid. »Ich wollte ja sowieso lieber eine Katze.«

Heimlich stehlen wir uns davon.

»Tut mir leid, dass ich zu spät gekommen bin«, sagt das Känguru, als wir zu Hause ankommen. »Und dass ich die Tickets vergessen habe. Entschuldigung.«

»Na also«, sage ich und atme tief durch.

»Aber du könntest echt mal wieder das Bad putzen«, sagt das Känguru.

»Außerdem hast du mein Jo-Jo kaputtgemacht!«, rufe ich.

»Und du hast mein Tagebuch gelesen!«

»Round and round and round it goes
where it stops nobody knows ...«

Seit geraumer Zeit sitze ich in der Eckkneipe »Bei Herta« an der Theke auf einem Barhocker und warte.

»Es jibt sone und solche, und dann jibt es noch janz andre, aba dit sind die Schlimmstn«, sagt Herta, »wa?«

»Mhm«, sage ich.

Aus der Musicbox leiert »I've been looking for freedom«. Ich habe das Lied gewählt. Es ist das beste der Sammlung.

»Arbeiten macht Spaß. Aba acht Stunden Spaß kann ick einfach nich vatrang«, sagt Herta, »wa?«

»Ich hätte gerne noch so 'nen viel zu starken Filterkaffee mit Kondensmilch bitte«, sage ich.

»Mit 'nem Eima Wasser wischt se dit janze Haus, und wenn noch Wasser übrich is, denn kocht se Kaffe draus«, sagt Herta, »wa?«

»Mhm«, sage ich.

Endlich setzt sich das Känguru neben mich an den Tresen und sagt: »Ich habe absolut keinen akzeptablen Grund dafür, dass ich zu spät bin.«

»Äh … aha …«, sage ich.

»Es tut mir ein bisschen leid, aber ich werde deshalb nicht schlecht schlafen.«

»Äh … schon okay«, sage ich.

»Ich fahre eine neue Strategie«, sagt das Känguru. »Entwaffnende Ehrlichkeit.«

»Ich weiß nicht, ob ich auf Dauer damit umgehen kann«, sage ich.

»Das weiß ich auch nicht«, sagt das Känguru.

»Morgenstund hat Jold im Mund. Wer lange schläft, bleibt ooch jesund!«, sagt Herta. »Wa?«

»Mhm«, sage ich.

»Es jibt sone und solche, und dann jibt es noch janz andere, aba dit sind die Schlimmsten«, sagt das Känguru.

»Meine Rede«, sagt Herta.

Ich schlage mir mit der flachen Hand gegen die Stirn.

»Bist du schon lange hier?«, fragt mich das Känguru.

»Ich habe, während ich auf dich warten musste, ein Theaterstück geschrieben«, sage ich.

»Ich würde das Gespräch sehr gerne an dieser Stelle abbrechen«, sagt das Känguru. »Da du es aber sowieso nicht schaffen wirst, deine Idee für dich zu behalten, bin ich bereit, dir im Zuge unserer Freundschaft weiter mein Ohr zu leihen.«

»Ich kann nicht damit umgehen«, sage ich.

»Das können die wenigsten.«

»Außerdem bin ich durchaus fähig, Sachen für mich zu behalten«, sage ich.

»Na klar«, sagt das Känguru.

Mein Knie wippt nervös auf und ab. Das Känguru signalisiert Herta mit zwei Fingern, dass es einen Schnaps will.

»Lieba 'n bisschen mehr, aba dafür wat Jutet«, sagt Herta und schenkt ein, »wa?«

»Säufste, stirbste. Säufste nich, stirbste ooch«, sagt das Känguru.

»Also säufste«, sagen sie zusammen.

»Okay. Ich kann meine Idee nicht für mich behalten«, sage ich. »Pass auf: Es beginnt mit einer kurzen Ouvertüre. Ganz großes Orchester. Das spielt einen Tusch. Maximal zehn Sekunden. Dann öffnet sich der Vorhang. Man sieht einen einzelnen Mann in der Mitte der Bühne. Im Hintergrund steht ein klassischer griechischer Chor – mit Masken und so weiter. Der Mann sagt: ›Also wenn ihr mich fragt …‹, da fällt ihm der Chor ins Wort und ruft: ›Wir fragen dich nicht!‹ Sofort darauf fällt der Vorhang. Schluss. Aus. Applaus. Nach Haus.«

»Gefällt mir«, sagt das Känguru. »Kurz und knapp, eine treffende Kritik der parlamentarischen sogenannten Demokratie, gleichzeitig ein zynischer Kommentar zur Einsamkeit des Individuums im Chaos der Postmoderne und natürlich eine Absage an das obsolete Konzept des Sechs-Stunden-Theaters.«

Das Känguru trinkt seinen Schnaps.

»So oder so ähnlich«, sage ich. »Aber hauptsächlich wäre es einfach witzig. Ich bin mir nur noch nicht sicher, wie groß der Chor sein soll.«

»Ist das wichtig?«, fragt das Känguru.

»Na, in einer Tragödie hätte der Chor 12 Sänger und in einer Komödie 24. Und ich weiß einfach nicht, um welches Genre es sich bei meinem Stück handelt.«

»Nimm doch 18, dann haste 'ne Tragikomödie«, sagt das Känguru.

»Ich hatte auch die Idee, dass man *Warten auf Godot* nicht wie sonst immer minimalistisch, sondern als totale Materialschlacht inszenieren müsste«, sage ich. »Am besten in Kooperation mit dem Staatsballett und einem Zirkus. Während Estragon und Wladimir ihre Gespräche führen, tanzen im Hintergrund die Showgirls, ein Elefant macht Kunststücke und ein Clown jongliert mit Tellern. Dazu noch ein Dutzend Leinwände mit Nachrichten, und immer mal wieder läuft ein Typ durchs Bühnenbild, über dem ein großer, rot blinkender Pfeil mit der Aufschrift ›Godot‹ schwebt.«

»Dit is nüscht für meine Mutta ihre Tochter«, sagt Herta.

»Ich wär dann so weit«, sagt das Känguru.

»Woll'n Se Jott sei Dank schon jehn, oder bleiben Se leida Jottes noch'n bisschen?«, fragt Herta.

»Wat macht's?«, fragt das Känguru.

»Eine Mark und Pfirsich Zent«, sagt Herta.

»Mein lieber Herr Jesangsverein«, sagt das Känguru.

»Mit dit Bezahlen vaplempert man dit meiste Jeld«, sagt Herta, »wa?«

»Mhm«, sage ich.

»Kannst du heute mal bezahlen?«, fragt mich das Känguru.

»Keene Haare uff'm Kopp, aba'n Kamm inna Tasche«, sagt Herta, »wa?«

»Kriechste jleich wat vor'n Bahnhof, dat de Jesichzüje entjleisen«, sagt das Känguru.

»Noch een Wort, und ick hau dir uff'n Kopp, dette durch de Rippen kiekst wie der Affe durchs Jitter«, ruft Herta.

Aus irgendeinem Grund muss ich plötzlich an *The Secret of Monkey Island* denken.

»Wenn de lang wärst, wie de doof bist, könnste kniend aus der Dachrinne saufen«, erwidert das Känguru.

»Du denkst dir vielleicht, du bist hart, aba ick bin Herta!«, sagt Herta.

Das Känguru kichert, stupst mich an und flüstert: »Da! Sie hat es schon wieder gesagt!«

Ich reiche Herta das Geld.

»Na ja. Nix für unjut«, sagt Herta, »wa?«

»I wo«, sagt das Känguru. »I wo.«

»Es jibt ebn sone und solche, und dann jibt es noch janz andere, aba dit sind die Schlimmsten«, sage ich.

»Meine Rede«, sagt Herta.

»Worauf warten wir eigentlich noch?«, fragt das Känguru nach einer Weile.

»Auf nichts«, sage ich. »Lass uns gehen.«

Schweigen.

»Also? Wir gehen?«, fragt das Känguru.

»Gehen wir!«, sage ich.

Sie gehen nicht von der Stelle.

Wir sitzen im Innenhof des Hauptsitzes der Ullstein Buchverlage an einem Gartentisch. Vor mir liegt mein Manuskript. Das Känguru versucht einen Strohhalm in ein 0,2-Liter-Fruchtsaft-Tetrapak zu friemeln.

»In einem Verlag verläuft ja oft eine Kampflinie zwischen Vertrieb und Lektorat«, sagt mein Lektor, »aber in diesem Fall waren sich eigentlich alle einig.«

Gespannt blicke ich zu ihm hinüber.

»Wir wollen das Buch nicht ›Hitler Terror Ficken‹ nennen«, sagt er.

»Ihr wolltet doch einen verkaufsfördernden Titel«, sagt das Känguru und reicht mir genervt den Tertrapak. Ich stecke den Strohhalm rein und reiche ihn zurück.

»Nun ja«, sagt mein Lektor. »So reißerisch hatten wir uns den reißerischen Titel doch nicht vorgestellt. Außerdem hätte dieser Titel auffällig wenig mit dem Inhalt zu tun. Nichts, könnte man sagen.«

»Na und?«, fragt das Känguru. »Der Zusammenhang zwischen Bezeichnung und Inhalt ist völlig überbewertet, und große Teile der Gesellschaft haben sich schon längst davon frei gemacht. Wenn ich mir beim Discounter eine Tomatencremesuppe kaufe, hat die auch auffällig wenig mit Tomaten zu tun. Aber Geschmacksverstärkerbrei ist einfach ein Scheißproduktname. Oder nimm dir eine beliebige Partei.

Sagen wir die CDU. Hat auffällig wenig mit christlich und demokratisch zu tun, aber würden sie sich wahrheitsgetreuer Club deutscher Unternehmer nennen, würden ihre Wahlergebnisse wohl noch weiter einbrechen.[4] Oder die Bezeichnung ›Rechtsstaat‹ …«

»Ja, danke«, sage ich. »Ich denke, du hast deinen Punkt klargemacht.«

Mein Lektor nickt zustimmend.

»Wie soll das Buch denn nun heißen?«, frage ich.

»Wie wäre es mit«, mein Lektor macht eine dramatische Pause, »*Die Känguru-Chroniken*«?

Das Känguru blickt auf.

»Das gefällt mir«, sagt es.

»Das glaube ich«, sage ich.

»Reduktion auf das Wesentliche«, sagt das Känguru. »Und auf jeden Fall verkaufsfördernder als *Die Kleinkünstler-Chroniken*.«

Es wirft den leeren Tetrapak gekonnt in die einige Meter entfernt stehende große Mülltonne.

»Nur *Känguru* wäre auch ein guter Titel«, sagt es. »Oder *Känguru!* Mit Ausrufezeichen!«

»Ich habe hier einen ersten Entwurf für einen Klappentext«, sagt mein Lektor und reicht mir eine Mappe. »Wir würden das Buch gerne mit dem Satz ›Frisch, frech und völlig absurd‹ bewerben.«

---

4 Lustigerweise gibt es im deutschen Einbürgerungstest die Frage Nummer 76. Sie lautet: »Was bedeutet die Abkürzung CDU in Deutschland?« Und die Multiple-Choice-Antwortmöglichkeiten sind:
1. Christliche Deutsche Union
2. Christlicher Deutscher Umweltschutz
3. Christlich Demokratische Union
4. Club Deutscher Unternehmer
Schwierig.

»Das ist doch kein Satz!«, ruft das Känguru empört.

»Nee«, sage ich. »Hat zum Beispiel kein Verb.«

»Frisch, frech und völlig absurd!«, ruft das Känguru.

»Ja«, sagt mein Lektor.

»Damit könnte man auch 'ne Packung Halbfettkäse bewerben«, sagt das Känguru.

»Was sagst du denn eigentlich zum Buch an sich?«, frage ich.

»Ich muss gestehen, dass ich den Pinguin nicht gut finde«, sagt mein Lektor.

»Da können wir ja einen Club aufmachen«, sagt das Känguru.

»Als Antagonisten aus dem Nichts einen seltsamen Pinguin einzuführen, der in allem das Gegenteil zum Känguru ist, finde ich persönlich zu platt.«

»Aber ...«, versuche ich zu protestieren.

»Und die Geschichte mit dem Pinguin-Alptraum würde ich eher weglassen«, sagt mein Lektor. »Kann man ja vielleicht mal in einer eventuellen Fortsetzung veröffentlichen.«

»Warum habe ich das Gefühl, die Formulierung ›mal in einer eventuellen Fortsetzung‹ sei eine höfliche Umschreibung des Wortes ›nie‹?«, fragt das Känguru.

»Außerdem ›eher weglassen‹«, sage ich. »Was bitte schön soll denn das bedeuten. Eher. Eher ist ja ein eher unpräzises Wort.«

»In diesem Fall handelte es sich bei ›eher‹ um eine höfliche Umschreibung des Wortes ›unbedingt‹«, erläutert das Känguru.

»Warum genau ist das Känguru bei diesem Gespräch dabei?«, fragt mein Lektor.

»Hier sind übrigens die Fotos fürs Cover«, sage ich.

Der Lektor wirft einen Blick auf die Bilder.

»Ich habe euch vor drei Monaten 500 Euro überwiesen, damit ihr von einem Profi vernünftige Fotos machen lassen könnt, und ihr bringt mir zwei Wochen vor Drucklegung vier Passfotos vom Zwei-Euro-Automaten?«

»Nicht aufs Bild fassen«, sagt das Känguru. »Die sind noch feucht.«

Das Känguru fährt mir mit einem Einkaufswagen in die Hacken. Es sitzt im Einkaufswagen und grinst. Das funktioniert folgendermaßen: Es sucht sich einen leeren Gang und nimmt mit dem Wagen Anlauf. Irgendwann lässt es den Wagen los, beschleunigt noch mal kurz und springt in den ihm vorauseilenden Einkaufswagen. Dann duckt es sich und hält sich die Pfoten vor die Augen.

»Noch mal!«, ruft es.

»Hast du schon die Bohnen und den Speck gefunden?«, frage ich.

»Ach ja, Bohnen und Speck«, sagt das Känguru. »Ich dachte gerade, es muss doch irgendeinen Grund geben, dass wir hier sind.«

HANDLUNGSLOCH[5]

Ein Ganove hält uns mit einer Knarre in Schach. Wir sind in Miami. Man hält uns im Hinterzimmer eines Casinos gefangen, denn das Känguru hat die Bank gesprengt. Das wird nicht gerne gesehen. Der Ganove zieht aus seiner Hosentasche eine rote Schiebermütze und setzt sie sich auf. Plötz-

5 Handlungsloch, das (engl. Plot hole): Logisch nicht erklärbarer und/oder völlig unmotivierter Sprung in einem Handlungsbogen. Man kennt diesen Kunstgriff aus Filmen. Zum Beispiel mit Vin Diesel.

lich fängt das Känguru an zu lachen. Es deutet auf unseren Aufseher.

»Der sieht ja aus wie Mario«, sagt es.

»Wie wer?«, frage ich.

»Mario.«

Ich zucke verständnislos mit den Schultern.

»Nintendo.«

Ein Lächeln schleicht sich auf mein Gesicht.

»Super Mario. Ja. Stimmt.«

Mario streicht sich über seinen Schnauzbart und schimpft uns auf Italienisch an.

»Was hat er gesagt?«, fragt das Känguru.

»Weiß nicht«, sage ich. »Wahrscheinlich hat er erzählt, wie er mal auf einen umherwandernden Pilz gehüpft ist und dafür 100 Punkte bekommen hat.«

Das Känguru fängt an zu lachen. Mario kommt näher, und sein Ton wird schärfer.

»Was hat er jetzt gesagt?«, fragt das Känguru.

»Er will wissen, wo Luigi ist«, sage ich und fange auch an zu lachen.

Mario brüllt und gestikuliert wie wild.

»Sag ihm, dass wir nicht wissen, wo Luigi ist!«, sagt das Känguru.

»No sabemos donde esta Luigi!«, sage ich.

Marios Kopf wird so rot wie seine Mütze.

»Jetzt. Hör mal«, sagt das Känguru. »Wir finden das ja supertoll, dass du die Prinzessin befreit hast, aber wir würden jetzt gerne schlafen, und zumindest mein Freund hier kennt die Geschichte auch schon, denn er hat damals das fünfte Level geknackt. Buenas noches. Geh doch ein bisschen Kart fahren.«

»Und musst du nicht mal wieder Yoshi füttern?«, sag ich.

Plötzlich kracht ein 40-Tonner durch die Hinterwand des Zimmers. Vor Schreck lässt Mario seine Knarre fallen. Das Känguru holt mit seiner Faust aus und ruft: »Hat dir eigentlich schon mal einer mit 'nem Vorschlaghammer einen Scheitel gezogen?«

HANDLUNGSLOCH

Ich flitze auf Rollschuhen die Promenade entlang, eine Horde Ganoven auf den Fersen, dabei schlage ich mir ein Ei auf dem Kopf auf. Das Känguru rast herbei, in einem roten Strandbuggy mit gelbem Häubchen. Es bremst scharf und springt heraus.

»Jetzt werdet ihr euer blaues Wunder erleben!«, sage ich.

»Du, misch dich nicht ein«, ruft einer der Ganoven dem Känguru zu.

»Wenn du mich noch mal duzt, hau ich dir 'ne Delle in die Gewürzgurke«, sagt das Känguru. »Du Saftarsch.«

HANDLUNGSLOCH

»Ich kann die Kiste nicht halten!«, ruft das Känguru. Wir rasen über den Urwald hinweg. Der rechte Flügel unseres fliegenden Trabbis rasiert den Wipfel eines hohen Baumes.

»Zieh sie hoch!«, rufe ich. »Zieh sie hoch!« Da höre ich das FlopFlopFlop eines Tarnkappen-Helikopters der Navy Seals.

HANDLUNGSLOCH

Ich schütte die Bohnen zum Speck in die Pfanne. Das Känguru kommt in die Küche und setzt sich erschöpft an den Tisch.

»Was für ein Tag …«

Not-to-do-Liste

63. Frühzeitig an die eigene Rente denken.
64. Etwas kaufen, weil es »Aloe Vera« enthält.
65. Wenn jemand »Nein!« sagt, immer »Doch!« sagen, nur um zu sehen, ob er »Oah!« sagt.
66. Immer wenn jemand fragt: »Was machen wir jetzt?« antworten: »Was hätte Kant getan?«
67. Zur WM in einen überfüllten Biergarten gehen, mit einem T-Shirt, auf dem steht: »Stell dir vor, es ist WM, und keiner geht hin.«
68. Wenn eine Mutti aus Sachsen sagt: »Mein Söhn will Arschäölöge werden«, sagen: »Das heißt Proktologe.«

Als ich freudestrahlend nach Hause komme, sehe ich, dass der Pinguin seine Müllbeutel direkt vor unsere Tür geschoben hat. Das Känguru steht im Treppenhaus und durchstöbert den Abfall auf verwertbare Informationen über dessen Verursacher.

»Und, was gibt's für Neuigkeiten aus deinem Kleinkrieg?«, frage ich.

»In den Resten nichts Neues«, sagt das Känguru. »Hauptsächlich Verpackung von Fischstäbchen und anderer Tiefkühlkost. Leere Sardinendosen. Schuhcreme. Eine Fusselbürste.«

»Wahrscheinlich für seinen Frack«, sage ich, schlurfe durch den Flur ins Wohnzimmer und lege mich auf die Couch. Das Känguru schlurft hinterher und lässt sich in den Sessel fallen.

»Warum so fröhlich?«, fragt es.

Ich winke mit einem Brief. »Mein Lektor hat mir geschrieben, dass ich für den Deutschen Buchpreis der Ullstein Buchverlage nominiert bin!«, sage ich.

»Hab ich noch nie von gehört«, sagt das Känguru.

»Ich auch nicht«, sage ich gut gelaunt. »Aber ist doch super!«

»Wie heißt der Preis?«

»Der Deutsche Buchpreis der Ullstein Buchverlage«, sage ich. »In der Kategorie ›Buch mit sprechendem Tier‹.«

»Ist da noch jemand anderes nominiert?«

»Keine Ahnung«, sage ich. »Aber ist doch super. Das Buch ist keine zwei Wochen draußen, und schon für einen Preis nominiert. Es gibt ein Gala-Event mit allerhand Promis, und das wird im Fernsehen übertragen und von der bekannten Moderatorin ... äh«, ich werfe einen Blick in den Brief, »äh ... Julia Müller moderiert.«

»Julia wer? Hab ich noch nie von gehört.«

»Ich auch nicht«, sage ich. »Aber die ist bestimmt ... äh ... okay.«

»Gibt's Geld dafür?«, fragt das Känguru.

Noch einmal überfliege ich den Brief.

»Nee«, sage ich nachdenklich und setze mich auf.

»Nun ja«, sagt das Känguru.

»Manno«, sage ich. »Bis eben hatte ich mich noch total gefreut ...«

Ich streife mir die Schuhe ab. Meine Gedanken wandern.

»Weißt du, was mir heute Irres passiert ist?«, frage ich.

»Noch nicht«, sagt das Känguru.

»Ich bin aus dem Haus gegangen, habe mich mit meinem Agenten getroffen, war mit der Band im Proberaum, war einkaufen, und erst zu Hause ist mir aufgefallen, dass ich den ganzen Tag gar keine Strümpfe anhatte!«

Das Känguru blickt mich gespannt an.

»Kommt noch was?«, fragt es.

»Selbst beim Fahrradfahren ist mir nicht aufgefallen, dass ich keine Strümpfe anhatte«, sage ich.

»Und da sagen die Leute immer, das Leben schreibe die besten Geschichten«, sagt das Känguru.

»Auch nicht, als ich beim Bäcker gewartet habe«, sage ich. »Nicht mal, als meine Schuhe aufgegangen sind und ich sie wieder zubinden musste.«

»Ich finde, das Leben zieht immer alles unerträglich in die Länge.«

»Meine Mama sagt das immer«, sage ich. »Das Leben schreibt die besten Geschichten. Und ich frage mich dann immer, will sie mich subtil beleidigen? Ich rufe sie doch auch nicht an und sage: ›Hey! Was ich sagen wollte: Mutter Natur ist doch die beste Mutter.‹«

»Ey, deine Mutti …«, sagt das Känguru. »Deine Mutti rief hier an, letztens als du mit der Band unterwegs warst, und hat deshalb mir ungefähr Folgendes erzählt: ›Du, Känguru, du kennst doch die Tochter von der Edeka-Kassiererin, weil jedenfalls da gibt es doch ein Dorf weiter diese Kirche, wo ich mal im Kirchenchor gesungen habe, aber dann nicht mehr, wegen der dicken Frau, die konnte ich nicht leiden, wie dem auch sei, daneben ist doch das Schwimmbad, wo ich mal den Unfall gebaut habe, als ich rückwärts gefahren bin und vorwärts gekuckt habe, und da habe ich doch diesen Radfahrer überfahren, jedenfalls der Sohn von dessen Fahrradhändler, den sieht man jetzt öfter mit der Tochter von der Edeka-Kassiererin …‹«

»Also der Franz hat mit der Katrin angebändelt …«, sage ich kopfschüttelnd. »Ts, ts, ts.«

»Kennst du die Leute aus dieser Geschichte?«, fragt das Känguru.

»Nee«, sage ich. »Ich hab mir die Namen gerade ausgedacht.«

»Hm, hm«, macht das Känguru nachdenklich, legt seinen Kopf schräg, kneift seine Augen zusammen und mustert mich einige Sekunden.

»Mein Ironiedetektor kommt zu keinem eindeutigen Ergebnis«, sagt es schließlich.

Dann schüttelt es seinen Kopf.

»Na ja, whatever. Jedenfalls hat deine Mutti nach dieser Schilderung, die ich im Übrigen stark gekürzt habe, auch gesagt, das Leben schreibt die besten Geschichten.«

»Aber deshalb solltest du dem Leben nicht gleich alles absprechen«, sage ich. »Manchmal hat es ganz witzige Ideen.«

»Ja. Jörg Haider zum Beispiel hatte 'ne Knaller-Schlusspointe«, sagt das Känguru, »aber meines Erachtens hätte sich das Leben auch da ein wenig kürzer fassen können.«

»Oder zum Beispiel ...«, sage ich. »Da stand ich also im Bahnhof Friedrichstraße auf der Rolltreppe. So in der Mitte ungefähr. Dann hörte die Rolltreppe plötzlich auf zu rollen, und ich dachte: ›Scheiße! Wie komm ich denn jetzt hier runter?‹«

»Hm«, sagt das Känguru.

»Das ist auch eine Geschichte, die das Leben geschrieben hat«, sage ich.

»Zweifelsohne«, sagt das Känguru.

»Ist doch okay«, sage ich. »Kann man mal erzählen.«

»Ja, aber man würde sich nicht unbedingt einen Film darüber ankucken wollen«, sagt das Känguru.

»Aber wenn man den Film in 3D dreht, wäre er bestimmt trotzdem total erfolgreich«, sage ich. »Und weißt du, was das eigentlich Krasse an der Geschichte ist?«

»Nee.«

»Die ganze Zeit, die ich auf der Rolltreppe stand, war mir nicht klar, dass ich keine Strümpfe anhatte.«

»Pentizikulös«, sagt das Känguru.

»Wie bitte?«, frage ich.

»Das ist ein neues Wort, das ich mir ausgedacht habe.«

»Was bedeutet es?«

»Es bedeutet: Wenn du noch einmal deine Strümpfe erwähnst, vergesse ich mich und esse den ganzen Vanillejoghurt auf, ohne dir etwas abzugeben.«

»Ein Wort, das man nur selten gebrauchen kann«, sage ich.

»Ja«, sagt das Känguru. »Aber hier passt es.«

Wir stehen neben einer modernen Litfaßsäule – einer Litfaßsäule, die sich um sich selber dreht. Eine Litfaßsäule, die es einem ermöglicht, ohne sich von der Stelle zu rühren, alle drei darauf angebrachten Plakate zu begutachten. Es ist dreimal das gleiche Plakat.

»Das muss dieser Fortschritt sein, von dem immer alle reden«, sage ich.

Auf dem Plakat der *Initiative Für Mehr Arbeit* sieht man einen adrett lächelnden, jungen Mann mit Migrationshintergrund, der auf einer Großbaustelle steht, und der große, dicke, deutsche Vorarbeiter kneift ihm kumpelhaft in die Wange. Unter dem Bild steht: »Wir haben uns alle lieb – im Betrieb.«

Ich schüttle mich.

»Wie du ja weißt, bin ich einer der weltweit berühmtesten unbekannten Künstler im Genre, das neuerdings als Street Art gehyped wird«, sagt das Känguru.

»Wer weiß das nicht«, sage ich.

»Und jetzt habe ich mir den neuesten Schrei einfallen lassen.«

»Man schreibt irgendwo seinen Namen hin«, sage ich, »und dahinter schreibt man: ›war hier‹?«

»Nein. Falsch zugeordnete Zitate.«

»Zum Beispiel?«

Das Känguru schüttelt seine Spraydose und schreibt auf die Litfaßsäule: »Frage nicht, was dein Land für dich tun kann. Frage, was du für dein Land tun kannst. Kim Jong-il.«

Ich muss lachen.

»Es ist ganz erstaunlich«, sagt das Känguru, »was eine veränderte Zuschreibung der Autorschaft aus den Zitaten macht.«

»Mehr Beispiele.«

»Willst du den Charakter eines Menschen erkennen, so gib ihm Macht«, sagt das Känguru. »Roland Koch.«

»Mister Gorbatschow, tear down this wall!«, sage ich. »David Hasselhoff.«

»Ich denke, also bin ich«, sagt das Känguru. »Til Schweiger.«

Wir gehen ein paar Schritte weiter, und das Känguru sprüht an die Wand einer Bankfiliale: »Hasta la victoria siempre! – John D. Rockefeller.«

»Da hat das rote Pferd sich einfach umgekehrt und hat mit seinem Schwanz die Fliege abgewehrt«, sage ich. »Johann Wolfgang von Goethe.«

»Jup«, sagt das Känguru.

»Herr: es ist Zeit. Der Sommer war sehr groß. Leg deinen Schatten auf die Sonnenuhren, und auf den Fluren lass die Winde los«, sage ich. »H.P. Baxxter.«

»Ich sehe, du hast es verstanden.«

»Der Vorteil der Klugheit besteht darin, dass man sich dumm stellen kann. Das Gegenteil ist schon schwieriger«, sage ich. »Bastian Schweinsteiger.«

»Hör jetzt auf«, sagt das Känguru.

»Alles, was wir sind, ist das Resultat von dem, was wir gedacht haben«, sage ich. »Bastian Schweinsteiger.«

»Ich hätte dir nicht davon erzählen sollen.«

»How much is the fish?«, sage ich. »Karl Marx.«

Das Känguru seufzt.

»Heinrich, mir graut's vor dir«, sage ich. »Thomas Mann.«

»Bitte …«

»Wenn man ein 0:2 kassiert, dann ist ein 1:1 nicht mehr möglich«, sage ich. »Satz des Pythagoras.«

Wir stehen in einem Saal mit dem Charme einer Großraumdisco und warten auf den Beginn der Gala zur Verleihung des Deutschen Buchpreises der Ullstein Buchverlage. Das Känguru hat einem Kellner das komplette Tablett mit Häppchen abgenommen und schnabuliert fröhlich vor sich hin. Ich blicke durch die Gegend und fühle mich unwohl.

»Halli-Hallo! Ich bin Julia Müller«, dringt plötzlich eine voluminöse Frauenstimme an mein Ohr. »Und Sie sind bestimmt Kai-Uwe Kling.«

»Er heißt Marc-Uwe«, sagt das Känguru, ohne seinen Blick vom Tablett zu nehmen, wo es sich gerade ein neues Häppchen aussucht. »Er hasst es, wenn man ihn Kai-Uwe nennt.«

»Kai-Uwe hat immer mein Musiklehrer gesagt«, sage ich grummelnd. »Ich habe ihm das nur verziehen, weil er Gerd-Dieter hieß.«

»Ahahahamuhmuhmuh«, lacht Julia Müller prustend.

Das Känguru blinzelt.

»La vache qui rit«, sagt es erstaunt.

»Ahahamuhmuh … äh … wie bitte?«, fragt Frau Müller.

»Die Kuh, die lacht«, sagt das Känguru und blickt ihr ins Gesicht.

»Meinen Sie etwa mich«, fragt die Moderatorin. Ihr Gesichtsausdruck mäandert zwischen irritiert und empört. Das Känguru hält die Spannung, bis sie fast unerträglich ist, dann sagt es mit Unschuldsmiene: »Der Käse auf den Schnittchen … Auch eins?«

»Ahahamuhmuhmuh«, lacht die gute Julia wieder, nimmt ein Gürkchen von einem Schnittchen und verschwindet.

»La vache qui rit«, sage ich nickend. »Chapeau, mein liebes Känguru! Sehr schön.«

Wir haben einen Wettbewerb laufen, wer am besten Leute beleidigen kann, ohne dass sie es merken.

»Danke, danke!«, sagt das Känguru und isst das letzte Häppchen vom Tablett.

»Ich würde sagen, mindestens fünf Punkte«, verkünde ich.

Das Känguru zieht unsere Spielstandstabelle aus seinem Beutel. Es liegt komfortabel in Führung.

»Halt mal kurz«, sagt es und reicht mir das leere Tablett.

Ich greife zu.

»Verdammt«, sage ich sofort danach. »Ich bin auf ein Halt-mal-kurz reingefallen.«

»Der älteste Trick der Welt, Alter!«, sagt das Känguru kopfschüttelnd.

»Wie ärgerlich.«

»Übrigens: Wenn du es vermeiden kannst«, sagt das Känguru, »dann schüttle diesem Typen dahinten nicht die Hand.«

»Wer ist das?«

»Das ist ein Bankdirektor, der …«

»Okay.«

»Was okay?«

»Na, das reicht mir schon«, sage ich. »Das kann ich als Grund akzeptieren.«

»Sein Zwillingsbruder ist Asylrichter und will eine neue nationalkonservative Partei gründen …«

»Hui! Das klingt ja nach 'ner sympathischen Familie. Wer war der Vater? Axel Springer?«

»Du hast bestimmt schon von den Brüdern gehört«, sagt das Känguru. »Der Asylrichter ist durch seine Ablehnungsquote von 100 Prozent bekannt geworden. Die Boulevardpresse hat ihn als ›Richter Schadenfroh‹ gefeiert, weil er immer so hämisch lacht, bevor er die Leute zurück aufs Floß schubst.«

»Ah! Na klar! Jörg Dwigs«, sage ich.

»Und das dahinten ist sein Zwillingsbruder Jörn«, sagt das Känguru. »Der finanziert ihm den Wahlkampf.«

»Ja, ja. Das ist doch auch der Typ, der letztens seine 95 Thesen über Migration an die Pforte der Moschee in Neukölln genagelt hat.«

»Sein Buch ist bestimmt nominiert in der Kategorie: ›An deutschen Thesen soll die Welt genesen‹«, sagt das Känguru.

»Eher am deutschen Tresen«, sage ich.

»Wie heißt das Buch noch mal?«

»Ich glaube ›Mein Krampf‹.«

»Da gibt es mal wieder eine große internationale Systemkrise«, sagt das Känguru kopfschüttelnd, »und dann kommt einer an – noch dazu ein Banker – und sagt: ›Schuld haben nicht etwa die Politiker, die Banker, die Lobbyisten oder der Kapitalismus … Nein! Schuld haben‹ – Achtung! – ›DIE AUSLÄNDER!‹ Na klar. Juchhe! Voll die neue Idee! Und der ganze Pöbel ruft: ›Ja, das habe ich mir schon immer gedacht. Die sehen ja schon so komisch aus, und die reden so seltsam, und die mögen keine Leberwurscht!‹«

Jörn Dwigs macht sich, von meinem Agenten flankiert, auf den Weg in unsere Richtung.

»Wenn man vom Teufel spricht«, sage ich.

»Marc-Uwe! Darf ich vorstellen«, sagt mein Agent. »Das ist Jörn Dwigs.«

»Ich bin ein großer Freund und Förderer der deutschen Kunst und Kultur«, sagt Dwigs und streckt mir seine Hand entgegen.

Ich zucke mit den Schultern und deute mit der Nase auf das Tablett, das ich krampfhaft mit beiden Händen festhalte. Er zieht seine Hand zurück. Dem Känguru hat er sie nicht angeboten. Das Känguru streckt ihm daraufhin seine Pfote hin, und als Dwigs sie widerwillig ergreifen möchte, zieht das Känguru seine Pfote zurück und streicht sich das Fell auf dem Kopf zurecht. Dann zwinkert es. Und lächelt. Auch Dwigs zwingt sich zu einem Lächeln. Ich drücke meinem Agenten das Tablett in die Hand.

»Halt mal kurz«, sage ich.

»Herr Dwigs wurde gestern auf dem Gründungs-Parteitag der SV zum zweiten Vorsitzenden gewählt«, sagt mein Agent.

»SV steht für Sicherheit und Verantwortung«, erläutert Dwigs ungefragt.

»Ich hätte jetzt gedacht, SV steht für Schlussverkauf«, sage ich.

»Wie meinen?«, fragt Dwigs.

»Das wäre doch sehr passend«, sage ich. »Wo das Motto der Partei schon ›Alles muss raus‹ lautet.«

»Ha, ha, ha«, lacht mein Agent gezwungen. »Alter Scherzkeks!«

Dann wendet er sich an Dwigs und reicht ihm das Tablett.

»Könnten Sie das bitte kurz mal halten?«

Während Dwigs von einem Neuankömmling begrüßt wird, zieht mein Agent mich und das Känguru zur Seite.

»Man sollte sich solche Leute nicht zum Feind machen«, sagt er. »Man weiß nie, wie es kommt. Laut einer Umfrage der *Bildzeitung* käme die SV bei einer sofortigen Wahl aus dem Stand auf 18 Prozent.«

»Was haben die nur immer mit 18 Prozent?«, fragt das Känguru. »Immer wenn sie irgendeine schockierende Umfrage über eine extremistische Partei präsentieren, nehmen sie 18 Prozent. Ich muss pissen«, und es verschwindet in die Menschenmenge.

Als das Känguru eine halbe Stunde später wieder auftaucht, ist die Gala in vollem Gange. Es hat ein neues Tablett Häppchen dabei, grinst und setzt sich zu uns an den Tisch.

Plötzlich steht Dwigs vor uns. Ein leeres Tablett klemmt unter seinem Arm. Er zischt das Känguru an: »Wahrscheinlich glauben Sie, wir werden nie an die Macht kommen, aber …«

»Na ja«, unterbricht ihn das Känguru. »Marx hat ja mal gesagt: ›In der Weltgeschichte passiert alles zweimal: Das erste Mal als Tragödie, das zweite Mal als Farce.‹«

Es zieht die Spielstandstabelle aus dem Beutel und gibt sich noch zwei Punkte.

»Selbst wenn wir nicht an die Macht kommen …«, sagt Dwigs, »wir werden durch unsere Thesen die öffentliche Debatte so weit nach rechts verschieben, dass …«

Das Känguru streckt Dwigs seine Pfote entgegen und sagt: »Talk to the paw.«

Dwigs stürmt wütend aus dem Saal und wirft am Ausgang das Tablett in eine Ecke.

»Huiuiui«, sagt mein Agent kopfschüttelnd. »Wer hat dem bloß ans Bein gepinkelt?«

Das Känguru reibt sich seine Nase.

»Das war dann wohl ich«, sagt es.

»Ach?«, fragt mein Agent. »Was haben Sie denn gemacht?«

»Na, ich habe ihm ans Bein gepinkelt.«

»Wortwörtlich?«, frage ich.

»Ich hab doch gesagt, ich geh pissen«, sagt das Känguru. »Du weißt doch, ich nehme da an diesem Kunstprojekt teil … Mit den angewandten Redewendungen. Und die Gelegenheit war günstig. Ich stand zufällig hinter ihm.«

»Soso«, sage ich. »Zufällig …«

»Da kann man jetzt natürlich darüber streiten, ob das eine wirklich dauerhafte Lösung des Problems war«, sagt das Känguru, »aber für diesen einen kleinen Moment war's großartig.«

Mein Agent stupst mich an, und wir wenden uns der Bühne zu.

»Und der Deutsche Buchpreis der Ullstein Buchverlage in der Kategorie ›Buch mit sprechendem Tier‹ … ahahamuhmuhmuh … geht dieses Jahr an …«, Julia Müller macht eine spannungsreiche Pause und öffnet das Kuvert. Dann ruft sie: »Marc-Dieter Kling!«

Fassungslos starre ich auf die Bühne.

Das Känguru klopft mir aufmunternd auf die Schulter.

»Was soll ich denn jetzt machen?«, frage ich.

»Sag, was ich sagen würde«, sagt das Känguru.

Ich nicke. Ich stehe auf. Ich betrete die Bühne. Ich nehme den Preis vom Rednerpult und drücke ihn Julia Müller in die Hand.

»Halt mal kurz.«

Ich stelle mich vors Mikrofon und suche den Blick des Kängurus. Es nickt mir zu.

»Ich lehne diesen Preis ab«, rufe ich, »… weil es kein Geld dafür gibt!«

»Ich bin total willig«, sagt das Känguru. »Ich möchte unbedingt 'nen Job.«

»Warum?«, fragt die Frau vom Jobcenter.

»Es hat Angst, zu den unnützen Ausländern gesperrt zu werden«, sage ich.

»Nee«, sagt das Känguru. »Ich hab kein Geld.«

»Das hat dich doch bisher auch nicht gestört ...«, sage ich.

»Ja, aber jetzt stört es mich.«

»Haben Sie denn schon mal eine feste Arbeitsstelle gehabt?«, fragt die Frau gelangweilt.

»Eine?«, fragt das Känguru. »Tausende! Ich stand schon in einer riesigen Erdbeere und habe Erdbeeren gegessen. Ich bin als Grillwalker mit einer Gasflasche auf dem Rücken und einem Grill vor dem Bauch über den Alexanderplatz gestiefelt und habe Würstchen gegessen. Ich habe in einem schönen Sommer viele Konzerte in der Wuhlheide angekuckt, mit einem Fass auf dem Rücken, an dem ein Schlauch dran war, und daraus habe ich Bier getrunken. Gute Jobs eigentlich. Ich habe es aber leider nie über die Probezeit geschafft.«

»Ich wünschte, ich wäre tot«, sagt die Frau.

»Wie bitte?«, fragt das Känguru.

»Erzählen Sie ruhig weiter«, sagt die Frau. »Haben Sie irgendwelche Wunschvorstellungen?«

»Äh ... also ... ich könnte mir gut vorstellen, mich hinter

eine Theke zu stellen und Schnaps zu trinken«, sagt das Känguru.

»Referenzen?«

»Ja. Von meinem letzten Arbeitgeber habe ich ein Arbeitszeugnis bekommen, auf das ich wirklich stolz bin.«

»So?«, fragt die Frau und seufzt. »Zeigen Sie mal.«

Das Känguru kramt in seinem Beutel.

Auf dem Schreibtisch klingelt das Telefon. Die Frau nimmt ab.

»Ja?«, fragt sie.

»Aha. – – Ja. – – Ja. – – Aha. – – Ja«, sagt sie und beginnt sich dabei, den Hörer gegen die Stirn zu schlagen.

»Aha. – – Ja. – – Ja.«

Das Känguru blickt mich besorgt an. Ich zucke ratlos mit den Schultern.

»Ja. Wird gemacht«, sagt die Frau und legt auf. Einige Sekunden blickt sie ins Leere.

»Äh … hier ist das Zeugnis …«, sagt das Känguru und reicht ihr ein Papier.

»Danke«, sagt die Frau.

»Aber Obacht«, sagt das Känguru, »das liest sich positiver, als es gemeint ist. Die benutzen da immer so 'nen Kapitalistengeheimcode.«

Die Frau liest laut vor:

»*Das Känguru war bei seiner Arbeit immer unkreativ, unpünktlich, unflexibel, desinteressiert, nicht belastbar, kaum teamfähig, schwer zu begeistern und unkreativ. Vorgesetzten gegenüber war es unfähig, sich unterzuordnen, vulgär, obszön und gelegentlich handgreiflich. Vom Tacker bis zum Flachbildschirm waren alle ihm zugeteilten Arbeitsgeräte innerhalb von Stunden nicht mehr auffindbar. Schon am zweiten Arbeitstag versuchte es mit einigem Erfolg, einen Generalstreik zu organisieren. Die Firma sah sich gezwungen, nach neun Tagen eine fristlose Kündigung auszusprechen, zu diesem Zeitpunkt war das Känguru allerdings schon mehrere Tage nicht mehr an seinem Arbeitsplatz erschienen. Die Zustellung der Kündigung erwies sich aus diesem Grund und auch wegen der falsch angegebenen Adresse als schwierig. Auf die Einstellung der Gehaltszahlungen reagierte das Känguru mit einer Klage vor dem Arbeitsgericht. Mehrfach bezeichnete es in dem darauf folgenden Prozess seine Vorgesetzten und die Gerichtsdiener als verdammte Faschisten. Auch fragte es den Richter, ob er nicht mitbekommen habe, dass sich einige Gesetze seit den 40er Jahren geändert hätten. Nach verlorenem Prozess drohte es damit, dreckige Firmengeheimnisse zu veröffentlichen. Obwohl der Firmenleitung unklar war, von welchen dreckigen Geheimnissen das Känguru sprach, wurde es sicherheitshalber wieder eingestellt und ist seitdem nie wieder am Arbeitsplatz erschienen. Teile der Belegschaft sind bis zum heutigen Tag immer noch aufmüpfig und ungehorsam.«*

Die Frau lässt das Zeugnis sinken.

»Und was daran liest sich positiver, als es gemeint ist?«, fragt sie.

»Nächster Satz«, sagt das Känguru.

Sie liest: *»In den fünf Tagen, die es tatsächlich bei uns gearbeitet hat, hatte es allerdings durch seine Geselligkeit zur Verbesserung des Betriebsklimas beigetragen.«*

»Hä?«, frage ich verwundert.

»Das ist ein Code für übertriebenen Alkoholkonsum«, sagt die Frau.

»Du hast gesoffen auf Arbeit?«, frage ich.

»Ich kann das verstehen«, sagt die Frau und holt einen Flachmann aus ihrer Schublade.

»Aber nur Wodka«, sagt das Känguru.

»Wodka?«, frage ich.

»Alter! Ruf du mal den ganzen Tag wildfremde Leute an und frag, ob sie sich, wenn am Sonntag Neuwahl wäre, am Montag eine neue Digitalkamera kaufen würden.«

»Ich mache Ihnen ein Angebot, das Sie nicht ablehnen können«, sagt die Frau und nimmt noch einen Schluck. »Ich erhöhe Ihren Satz, und wir vergessen, dass Sie jemals hier waren. Dafür bleiben Sie, bevor sie den Nächsten reinschicken, noch eine halbe Stunde ohne ein Geräusch zu machen hier sitzen.«

Sie legt ihren Kopf auf den Schreibtisch und schließt die Augen.

»Hier bin ich Mensch, hier kauf ich ein.«
Friedrich Schiller

Ich stehe vor dem Supermarkt und warte. Der Pinguin fährt in einem Sportwagen vor, parkt in zweiter Reihe, watschelt in den Supermarkt, kommt mit einem Energy-Drink in der Flosse zurück, steigt ins Auto und ist wieder verschwunden. Das Känguru hüpft mit einer Flasche in der Pfote um die Ecke und ruft: »Ob im Club oder zu Hause – Hauptsache BioBrause™!«

»Was hast du gerade gesagt?«, frage ich.

Es trägt ein mit fünf Worten bedrucktes T-Shirt: »Hier könnte Ihre Werbung stehen!«

»Gehst du zu einer schönen Sause, vergiss nicht deine Bio-Brause™!«, sagt es, prostet mir mit seiner Flasche zu und trinkt einen Schluck. Sofort verzieht es das Gesicht.

»Bäh! Das schmeckt so widerlich«, flucht es. »Aubergine-Pomelo. Wer denkt sich so beknackte Geschmacksrichtungen aus. Ich muss jedes Mal fast kotzen.«

»Warum trinkst du es dann?«, frage ich.

»Aus demselben Grund, aus dem die meisten Leute Dinge tun, ob derer sie eigentlich kotzen möchten«, sagt das Känguru.

»Du bekommst Geld dafür?«

»Korrekt. Ich habe einen Vertrag unterschrieben, dass ich jedes Mal, wenn ich einen Raum betrete, Sachen sage wie: ›Mach mal Pause – natürlich mit BioBrause™!«

Skeptisch ziehe ich meine linke Augenbraue nach oben.

»Und dafür bekommst du Geld von BioBrause™?«

»Hey! Noch nie was von viralem Marketing gehört?«, ruft das Känguru empört. »Ich bin ein Multiplikator!«

»Wie viel Euro zahlt dir BioBrause™ denn?«, frage ich.

»Na ja, also sie bezahlen mich nicht direkt in Euro …«

»In was dann? In Happy Digits?«

»Ich bekomme jeden zweiten Tag 'ne Palette Brause.«

»Aubergine-Pomelo? Ich dachte, das schmeckt dir nicht.«

»Tut's auch nicht. Aber Dragonfruit-Bärlauch ist noch schlimmer.«

»Anis-Sellerie wäre auch 'ne tolle Geschmacksrichtung«, sage ich. »Damit könnte man mich jagen …«

»Nur falls du dich wunderst, was das soll …«, sagt das Känguru.

»Ich habe aufgehört, Sachen zu hinterfragen«, sage ich. »Das macht unglücklich.«

»Ich erkläre es dir trotzdem«, sagt das Känguru. »Ich habe beschlossen, da man mit totaler Konsumverweigerung heutzutage keinen mehr schocken kann, meinen Protest durch die totale Prostitution auszudrücken. Ab sofort ist alles an mir käuflich. Vom Beutelaufdruck bis zur Fahne an der Schwanzspitze. Vom ersten Satz nach dem Aufstehen bis zum letzten Gedanken vor dem Schlafengehen.«

»Ich glaube ja nicht, dass du viele weitere Werbepartner gewinnen wirst«, sage ich.

»Warum?«

»Weil du dich verkaufen willst«, sage ich.

»Und?«

»Siehst du die Dicke da mit der Lidl™ Tüte?«

»Ja.«

»Und den Teenie mit dem Apple™-T-Shirt? Siehst du den Typ mit seiner Ferrari™-Kappe?«

»Ja, ja.«

»Und den Mann mit seinem Deutsche Bank™-Regenschirm?«

»Ja.«

»Siehst du das Mädchen in der Levis™-Jeans, mit den Converse™-Schuhen, die das DIESEL™-T-Shirt anhat und darüber die Tommy-Hilfiger™-Jacke trägt?«

»Ja.«

»Die Konzerne bezahlen nicht dafür, dass du dich prostituierst. Du sollst dich ihnen willig hingeben.«

»Willst du mir zu verstehen geben, dass meine Protestaktion kein Aufsehen erregen wird?«

»Nun ja«, sage ich. »Entweder handelt es sich hier um eine der größten internationalen Protestwellen der Geschichte, von der nur wir beide nichts mitgekriegt haben, oder, ja, niemand wird deinen Protest als Protest verstehen.«

»Na ja«, sagt das Känguru und zieht einen Sixpack Bio-Brause™ aus seinem Beutel. »Der Pfandautomat nimmt auch volle Flaschen.«

Ich wache auf. Sofort habe ich das ungute Gefühl, dass irgendetwas passiert und ich der Einzige bin, der nicht weiß, was. Ich stehe auf. Vor dem Badezimmer steht ein junger Mann in schwarzer Jeans und schwarzem Kapuzenpulli. Über den Händen trägt er rote Boxhandschuhe. Er sieht mich, versucht zu salutieren, schlägt sich aber wegen des klobigen Boxhandschuhs stattdessen aufs Auge. Ich mustere ihn einige Sekunden skeptisch, dann sage ich nichts und gehe weiter. Im Wohnzimmer steht eine ganze Horde schwarz gekleideter junger Menschen mit roten Boxhandschuhen, die alle, sobald sie mich sehen, salutieren und sich dabei aufs Auge schlagen.

Das Känguru steht auf dem Tisch und ruft:

»Die erste Regel des Boxclubs lautet: Ihr redet nicht über den Boxclub!«

Ich seufze.

»Die zweite Regel des Boxclubs lautet«, schreit es, »… äh … Moment. Ich hab's gleich …«, es kramt in seinem Beutel, »… ich hab's mir irgendwo aufgeschrieben … äh … die zweite Regel des Boxclubs ist … äh …«

»Ihr redet nicht über den Boxclub«, sage ich.

»Genau!«, ruft das Känguru. »Die zweite Regel des Boxclubs lautet: Ihr redet nicht über den Boxclub!« Einige Zuhörer machen sich Notizen. Ich dränge vor zum Tisch. Man macht mir Platz. Ich gebe dem Känguru ein Zeichen, und es beugt sich zu mir herunter.

»Was wird das hier?«, frage ich leise.

»Das ist der Boxclub«, flüstert das Känguru.

»Ja, ja«, sage ich. »Das habe ich mitgekriegt.«

»Das leerstehende Gebäude, in dem wir früher trainiert haben, wurde an einen Investor verkauft. Deshalb müssen wir uns fürs Erste hier treffen.«

»Soso«, sage ich und blicke mich um.

»Is okay, oder?«

»Wo hast du die denn alle aufgegabelt?«

»Die haben die *Känguru-Chroniken* gelesen«, flüstert das Känguru, wirft sich wieder in Pose und ruft: »Die dritte und letzte Regel des Boxclubs lautet: Wer einen Nazi sieht, muss ihn boxen!«

Applaus brandet auf. Applaus in Boxhandschuhen.

»Und ich werde euch beibringen, wie man boxt!«, ruft das Känguru. »Wer ist neu hier?«

»Ich!«, »Ich!«, »Ich!«, höre ich Stimmen aus allen Ecken.

»Wer von euch will boxen?«, ruft das Känguru.

»Ich!«, »Ich!«, »Ich!«, rufen dieselben Leute.

»Okay. Du da«, ruft das Känguru und springt vom Tisch vor die Füße eines großen Dicken. »Wir beide boxen jetzt. Wie heißt du?«

Noch während der Junge »Ich heiße Hol...« sagt, verpasst ihm das Känguru einen rechten Haken, und er geht zu Boden.

»Okay!«, ruft das Känguru. »Wer von euch will boxen?«

Niemand meldet sich.

»Ich habe gefragt, wer von euch boxen will!«, ruft das Känguru.

Betretenes Schweigen.

»Sehr gut!«, lobt das Känguru. »Lektion eins: Wir wollen nicht boxen. Wir müssen. Das ist ein Selbstverteidigungskurs.«

Es blickt musternd in die Runde.

»Vorletztes Mal habe ich euch beigebracht, wie ihr euch gegen einen Nazi verteidigen könnt, der euch mit einem Thor-Steinar-T-Shirt angreift«, ruft das Känguru. »Man boxt ihn. Letztes Mal habe ich euch gezeigt, wie man sich boxenderweise gegen einen Nazi verteidigen kann, der euch durch seine hässliche Visage beleidigt. Heute werdet ihr lernen, wie ihr euch gegen einen Nazi wehren könnt, der durch seine physische Anwesenheit die gute Stimmung in einem Raum runterzieht. Irgendwelche Ideen?«

Ein junges Mädchen meldet sich schüchtern.

»Ja, Melanie?«, fragt das Känguru.

»Sandra«, sagt das Mädchen.

»Wie auch immer«, sagt das Känguru. »Was ist deine Idee, Kind?«

»Man boxt ihn?«

»Völlig korrekt!«, ruft das Känguru. »Man boxt ihn.«

Es blickt musternd in die Runde.

»Du da! Willst du boxen?«, fragt es plötzlich einen Jungen.

»Wer, ich?«, fragt der Angesprochene. »Nein! Das Letzte, was ich will, ist boxen!«

»Ausgezeichnet!«, lobt das Känguru. »Sehr gut.«

»Danke«, sagt der Junge.

»Aber im Ernst«, sagt das Känguru lächelnd. »Du bist doch hier, weil du boxen willst.«

»Na ja, schon irgendwie …«

Da verpasst ihm das Känguru blitzschnell einen linken Haken, und er geht zu Boden.

»Lektion drei: Mitdenken!«

Ich gehe wieder in mein Zimmer und lege mich ins Bett. Als der Unterricht endlich vorbei ist, kommt das Känguru und setzt sich erschöpft an meinen Schreibtisch.

»Ich kriege dieses Bild nicht aus meinem Kopf«, sage ich.

»Was für ein Bild?«, fragt es.

»Wie du in einem grauen Jogginganzug, mit einer dunklen Wollmütze auf dem Kopf, deine Trainingsrunden durch die Nachbarschaft drehst, dabei auf meinem MP3-Player *Gonna fly now* hörst, die Treppen zum Kreuzberg hochrennst und oben deine Fäuste in die Luft reckst.«

»Ahahamuhmuhmuh«, macht das Känguru. »Ich höre dabei nicht den Rocky-Soundtrack. Jedenfalls nicht oft.«

»Ich glaube übrigens, der Trainingseffekt hält sich in Grenzen, wenn du deine Schüler immer gleich k.o. schlägst«, sage ich.

»Und ich glaube, du hast keine Ahnung vom Boxen«, sagt das Känguru.

Es steht wieder auf.

»Hilfst du mir, den Boxsack so umzuhängen«, fragt es, »dass er immer, wenn wir dagegen hauen, gegen die Wand zum Pinguin donnert?«

Wir sitzen bei Herta an der Theke.

»Ich habe letztens voll den guten Witz gehört«, sagt das Känguru.

»Ah ja?«, fragt Herta.

»Also: Kurz nach dem Zweiten Weltkrieg sind ein Österreicher, ein Engländer und ein Franzose in einem Kriegsgefangenenlager«, sagt das Känguru.

»Was soll denn das für ein Lager gewesen sein?«, frage ich. »Ein Engländer, ein Franzose und ein Österreicher! Da stimmt doch was nicht im historischen Fundament deines Witzes.«

»Ist doch egal. Ist nur ein Witz, Mann! Jedenfalls ein Österreicher, ein Franzose und ein Amerikaner …«

»En Ami?«, fragt Herta. »Ebend war's noch 'n Engländа.«

»Gut, von mir aus ein Engländer«, sagt das Känguru.

»Ich komm einfach nicht darüber hinweg, dass einer von den Achsenmächten mit zwei Allierten eingesperrt gewesen sein soll«, sage ich.

»Was weiß ich. Vielleicht war der Österreicher ein Deserteur«, sagt das Känguru.

»Aha«, sage ich.

»Oder ein Doppelagent«, sagt das Känguru.

»Wat nu? En Desateur oda 'n Doppelagent?«, fragt Herta.

»Ein Doppelagent«, sagt das Känguru beherrscht.

»Aber du hast doch gesagt, ein Kriegsgefangenenlager nach dem Zweiten Weltkrieg«, sage ich. »Warum sollten da ein Engländer und ein Franzose in einem Lager eingesperrt sein? Oder hat in deinem Witz Hitler den Krieg gewonnen?«

»Okay. Vor Ende des Zweiten Weltkrieges.«

»Wird det 'n Nazi-Witz, oder wat?«, fragt Herta. »Will ick nich hörn.«

»Na gut. Nach dem Zweiten Weltkrieg ...«

»Aber ...«, wende ich ein.

»Der Engländer und der Franzose waren auch Doppelagenten«, ruft das Känguru. »Zufrieden?«

»Und der Österreicha?«, fragt Herta.

»Tripelagent.«

»Okay«, sage ich.

»Jedenfalls hatten die total Hunger«, sagt das Känguru.

»Wer?«, fragt Herta.

»Na, der Österreicher, der Franzose und der Amerikaner«, ruft das Känguru.

»Engländer«, sage ich.

»Ja!«, schreit das Känguru fast hysterisch. »Jedenfalls hatte der Franzose eine Uhr ...«

»Wat war dit für 'ne Uhr?«, fragt Herta.

»Hä?«

»Mit Batterie oder zum Uffziehn?«

»Arrghghg! Warum willst du das wissen?«

»Na, falls dit wichtich is für den Witz.«

»Es ist nicht witzi... wichtig«, sagt das Känguru.

»Woher hatte er die Uhr?«, frage ich.

»Von seiner Oma, Mann! Von seiner Oma.«

»Denn war se bestimmt zum Uffziehn«, sagt Herta.

»Bestimmt«, sagt das Känguru.

»Von der Oma mütterlicherseits?«, frage ich.

Das Känguru blickt mich strafend an und deutet mit seinem Zeigefinger auf meine Nase.

»Und?«, fragt Herta.

»Ja. Mütterlicherseits.«

»War die wertvoll?«, frage ich.

»Wisst ihr was?«, sagt das Känguru. »Vergesst die Uhr. Es gibt keine Uhr.«

»Keine Uhr«, sage ich nickend.

»Keine Uhr«, sagt das Känguru.

»Keene Uhr«, sagt Herta.

Das Känguru atmet tief durch.

»Jedenfalls kamen der Österreicher, der Franzose und der Am… Engländer, weil sie so Hunger hatten, auf die Idee, herumzulaufen und …«

»Was soll denn das für ein Kriegsgefangenenlager gewesen sein, wo man einfach so herumlaufen durfte?«, frage ich.

»Es war halt schon eine Weile nach Ende des Krieges.«

»Aba Doppelagenten? Tripelagenten? Die lässt man doch nich einfach so frei rumloofen«, sagt Herta.

»Ach. Leckt mich.«

»Wat denn? Man wird doch wohl nachfragn dürfn«, sagt Herta.

»Jetzt erzähl den Witz zu Ende«, sage ich.

»Nee.«

»Wieso nicht?«, frage ich.

»Ist nicht mehr lustig.«

»Ick kenn 'nen lustijen Witz«, sagt Herta. »Treffen sich 'n Österreicha, 'n Englända und'n Franzose nach dem Zweeten Weltkrieg in 'nem Kriegsgefangenenlager. Kommt 'n Deutscher hinzu und sacht: ›Wat sollen dit sein? 'N schlechter Witz?‹«

Ich pruste los vor Lachen.
»Voll der gute Witz!«, rufe ich.
»Ach, haltet die Klappe«, sagt das Känguru.

Als ich nach Hause komme, steht das Känguru vor unserer Wohnungstür und durchstöbert mit einem Besenstiel wieder den Müll des Pinguins.

»Was genau versuchst du da eigentlich zu finden?«, frage ich.

»Diese Antagonisten-Geschichte ließ mir keine Ruhe«, sagt das Känguru. »Ich hab lange drüber nachgedacht. Ich glaube, dein Lektor hat tatsächlich recht.«

»Inwiefern hat er recht?«, frage ich.

»Der Pinguin ist wirklich mein Gegenspieler«, sagt das Känguru.

»Wie bitte?«

»Das ergibt so viel Sinn! Kosmisch gesehen.«

»Kosmisch gesehen?«, frage ich. »Du meinst das kosmische Gleichgewicht, oder wie?«

»Genau das«, sagt das Känguru.

»Hast du zu viele Glückskekse gegessen?«, frage ich.

»Ich habe doch in unserem Innenhof dieses falsche Zitat hingesprüht …«, sagt das Känguru.

»›Ein Experte ist ein Mann, der hinterher genau sagen kann, warum seine Prognose nicht gestimmt hat.‹ Peter Hartz?«, frage ich.

»Genau. Und ich habe den Pinguin in flagranti dabei erwischt, wie er mein Graffito mit weißer Farbe ausgelöscht hat.«

»Skandalös!«, sage ich.

»Er ist ein Feind der Kunst!«, sagt das Känguru. »Und er ist wirklich in so vielem mein Gegenstück.«

»So?«

»Na, zum Beispiel ist der Pinguin sehr schweigsam und ich … äh … nicht. Der Pinguin hat einen festen Job und ich nicht. Der Pinguin steht früh auf …«

»… und du nicht. Ja, ja. Na und?«

»Was ist mein Lieblingsfilm?«, fragt das Känguru.

»*Banana Joe*«, sage ich.

»Und als ich den letztens auf voller Lautstärke hab laufen lassen, mit welchem Film hat der Pinguin auf voller Lautstärke dagegengehalten?«

»Das war … äh, äh … *Grüne Tomaten*«, sage ich.

»*Grüne Tomaten!*«, ruft das Känguru triumphierend. »Und wenn ich Nirvana aufdrehe, was dreht dann der Pinguin auf?«

»Scooter«, sage ich.

»Es geht noch weiter«, sagt das Känguru und zieht ein BWL-Lehrbuch aus seinem Beutel.

»Flexibility and Security …«, lese ich laut. »Und? Ich kapier's nicht.«

»Das ist die Antithese zu meinem unveröffentlichten Hauptwerk«, sagt das Känguru.

»Opportunismus und Repression«, murmle ich.

»Und natürlich ist es schon längst veröffentlicht«, sagt das Känguru. »Und jetzt rate mal, bei wem …«

Ich werfe einen Blick auf den Buchrücken.

»Penguin Books«, sage ich.

»Penguin Books!«, sagt das Känguru nickend.

Ich bin sprachlos.

»Aber jetzt kommt der Knüller«, sagt das Känguru, pickt

einen stinkenden, halb zerrissenen, hautartigen Fetzen mit dem Besenstiel auf und hält ihn mir unter die Nase.

»Hast du dich nicht auch schon über diese Fetzen in seinem Müll gewundert?«

»Nein«, sage ich.

»Weißt du, was das ist?«

»Ja.«

»Was?«

»Eklig.«

»In dieser Haut befand sich das Gegenteil von Schnapspralinen«, sagt das Känguru.

Mir fällt die Kinnlade runter.

»Teewurst!«, rufe ich.

»Ich würde behaupten, hiermit schlüssig bewiesen zu haben, dass es sich beim Pinguin tatsächlich um meinen Widersacher, meinen kosmischen Gegner, meinen Antagonisten handelt«, sagt das Känguru.

Ich nicke.

»Ich wollte es ja nicht glauben«, sage ich. »Aber wenn man dann auf einen Schlag mit den harten Fakten konfrontiert wird ...«

»Damit ist aber auch klar, dass unser Weltbild deckungsgleich ist«, sagt das Känguru. »Es ist dieselbe Fotografie. Nur hat der Pinguin eben das Negativ und ich das Positiv vor Augen.«

»Oder umgekehrt«, sage ich.

»Oder umgekehrt«, sagt das Känguru. »Die Denkmuster des Pinguins sind also kontradiktorisch, quasi invers, schlicht gesagt entgegengesetzt zu den meinen.«

»Der Pinguin macht also in jeder gegebenen Situation das Gegenteil von dem, was du machen würdest«, sage ich nickend.

»Genau. Er weckt mich morgens auf, und ich lasse ihn abends nicht schlafen.«

»Er schiebt die Müllbeutel vor deine Tür, und du schiebst sie vor seine.«

»Ja, sicher. Und größer gedacht: Da es sich bei mir um einen lokal protestierenden Kommunisten handelt, ist der Pinguin natürlich ein global agierender Kapitalist!«

»Ist echt ein Ding«, sage ich.

»Wahnsinn, was?«, fragt das Känguru.

»Ich frage mich, wie ich den Pinguin dazu bringen könnte, eine unpünktliche, vorlaute Quasselstrippe zu werden.«

Jörg Dwigs und seine *Nationalkonservative Partei für Sicherheit und Verantwortung* haben zum Aufmarsch gerufen, und das Känguru hat mich trotz heftigster Kopfschmerzen meinerseits zur Gegendemo geschleift.

»Es geht auch um deine Zukunft, mein lieber Jugendlicher mit Migränehintergrund«, hat es gesagt. Jetzt stehen wir in einer gespannten Menschenmenge und warten auf Dwigs' großen Auftritt. Hinter dem Känguru hat sich, in Formation, eine Abordnung des Boxclubs aufgestellt. Neben uns stehen zwei lustige Türken, die Dwigs' Ausfälle gegen unproduktive Ausländer recht locker genommen und auf ihr Transparent gemalt haben: »Wir verkaufen nicht nur Obst! Auch Döner!«

Das Känguru stellt mir die beiden Türken vor. Es deutet auf den Jüngeren. »Das ist Friedrich-Wilhelm«, sagt es.

»Unsere Eltern haben es ein bisschen übertrieben mit dem Integrationswillen«, sagt Friedrich-Wilhelm.

»Mit dem Integrationswilhelm«, scherzt das Känguru. Keiner lacht.

»Nun ja«, sagt es. »Und der große Bruder hier …«

»Ich heiße Otto-Von«, sagt der große Bruder.

»Witzig«, sage ich.

»Das ist deine Sicht der Dinge«, sagt Otto-Von.

Dwigs lässt sich Zeit.

»Sag mal, was wollen die Deutschen eigentlich?«, fragt mich Friedrich-Wilhelm. »Erst haben sie sich ewig beschwert, wir würden ihnen die Arbeitsplätze klauen, und jetzt beschweren sie sich plötzlich, wir würden nicht arbeiten. Das ist doch paradox. Fast könnte man meinen, es geht ihnen gar nicht darum, was wir tun, sondern wer wir sind. Aber das wäre ja rassistisch …«

»Wenn das deutsche Volk nur aus den tumben Idioten bestünde, die Angst vor einer Überfremdung und dem Aussterben des deutschen Volkes haben, wäre es ein Segen für die Welt, wenn ihre Ängste berechtigt wären«, grummle ich.

»Hui. Dein Kumpel hier ist ja hart drauf …«, sagt Otto-Von zum Känguru.

»Ach. Er hat nur Kopfschmerzen«, sagt das Känguru.

»Ich habe keine Kopfschmerzen«, sage ich. »Ich hab Migräne.«

»Ist doch dasselbe.«

»Nein! Das ist nicht dasselbe«, insistiere ich. »Das verhält sich zueinander wie ein Kanarienvogel zu einem Monstertruck oder wie ein Monstertruck zu … äh«, ich fasse mir stöhnend an den Kopf, »zu einem Sternzerstörer oder … wie ein Sternzerstörer zu 'nem Todesstern. Oder puh … wie ein Todesstern zu 'ner Supernova. Oder, oder wie eine Supernova zum Urknall. Oder wie der Urknall …«

»Na, jetzt bin ich aber gespannt«, sagt das Känguru.

In diesem Moment betritt Jörg Dwigs das Rednerpult. Der Applaus seiner Anhänger wird noch übertönt von den Störgeräuschen der Gegendemonstration.

»Jetzt«, ruft das Känguru.

Die Boxclub-Formation öffnet sich. In ihrer Mitte steht ein wummernder Dieselgenerator, auf den das Känguru allerhand Dinge, die Krach machen, geschweißt hat. Unter anderem ein Nebelhorn, eine Cappuccinomaschine, einen Mixer, in den Kieselsteine gefüllt wurden, und alles überdröhnend ein uraltes Notebook mit verstopftem Lüfter, das versucht, einen Film von einer Video-CD abzuspielen.

»Bitte«, murmle ich, »nur ein klein wenig leiser … Mein armer Kopf.«

Dwigs versucht, den Lärm zu überbrüllen: »Wie mein Bruder bereits in seinem Buch ›Ich bin ja kein Rassist, aber …‹ dargelegt hat …«

Das Känguru zieht ein Megafon aus seinem Beutel und skandiert: »Haider heißt jetzt Dwigs, sonst ändert sich nix!« Ein Ruf, der sofort vom Boxclub übernommen wird und sich nach und nach in der ganzen Menge durchsetzt.

»Statt dass ihr hier so Lärm macht: Lernt erst mal anständig Deutsch!«, ruft einer von Dwigs' Anhängern uns zu.

»Anständiges Deutsch«, verbessert ihn das Känguru durchs Megafon.

»Vielleicht hat er anständig nicht als Adjektiv, sondern als Adverb benutzt«, sage ich gequält, »also gemeint, dass du anständig lernen sollst und nicht …«

»Halt die Klappe«, sagt das Känguru.

Es holt eine Trommel aus seinem Beutel. »Mach lieber Krach.«

»Aber mein Kopf …«, sage ich.

Das Känguru zuckt mit den Schultern und drückt mir die Trommel in die Hand. Ich seufze.

Bumm!

Aua.

Bumm!

Aua.

Bumm!

Manchmal muss es weh tun.

Ich sitze in einem Club namens *Tefkabh* auf einer alten, abgenutzten Couch und starre die von der Diskokugel illuminierten Bilder von Mr Brainwash an. Das Känguru kommt herein.

»Was ist aus *Bei Herta* geworden?«, fragt es und blickt sich irritiert um.

»Der Laden heißt jetzt *Tefkabh*«, sage ich.

»Hä?«

»The Eckkneipe formerly known as Bei Herta.«

»Wie bitte?«

»Das ist ironisch gemeint«, sage ich.

Nachdem die visuelle Reizüberflutung einigermaßen verarbeitet ist, scheint der Gehörsinn des Kängurus Alarm zu schlagen, denn es blickt in die Ecke, in der früher die Musicbox stand. Dort ist nun eine Bühne mit Karaokeanlage aufgebaut. An der Anlage hängt ein Schild: »Bitte nur ironisch gemeinte Beiträge.«

Ein Typ, Anfang 20, mit einer Undercut-Frisur singt *Abenteuerland* von Pur. Das Känguru beobachtet ihn fassungslos.

»Ich meine das ironisch«, ruft der Typ.

»Und wo ist Herta?«, fragt das Känguru.

»Herta war hart, aber Karaoke ist härter«, sage ich.

Das Känguru setzt sich. »Bin zu spät. 'Tschuldigung. Bla, bla, bla.«

»Ich habe mir, während ich auf dich gewartet habe, einen Zungenbrecher ausgedacht«, sage ich.

»Versuchst du, mich zu erziehen?«, fragt das Känguru. »Muss ich mir jetzt immer irgendeinen Unsinn anhören, wenn ich zu spät komme?«

»Als allerlei algerische Allergiker allerlei allergische Algerier alarmierten, alarmierten allerlei allergische Algerier allerlei algerische Allergiker.«

»Bist du nicht ausgelastet?«, fragt das Känguru.

»Ich habe auch noch eine Version für Fortgeschrittene geschrieben«, sage ich. »Als allerlei allergische algerische Allergologen auf Al Jazeera allerlei allergische Algerier alarmierten, alarmierten allerlei allergische algerische Allergologen allerlei algerische Allergiker: Birke blüht bald!«

Das Känguru zuckt mit seiner Nase.

»Was sagst du dazu?«, frage ich.

»Couragiert collagiert Kollege Clown«, antwortet das Känguru. »Cannabis konsumiert?«

»Danke dir, du Doofkopf, doch der Dichter dementiert das Drehen, Drücken, Dopen ...«

»Schluss jetzt!«, ruft das Känguru und geht zur Theke. Über dem Tresen hängt eine große, bunte Werbetafel: »BioBrause™ – frisch, frech und völlig absurd!«

Draußen am Fenster sehe ich den Pinguin die Straße entlanglaufen. Er bleibt kurz stehen, wirft einen Blick in *Tefkabh*, hält sich die Flossen vor die Ohren und watschelt kopfschüttelnd weiter. Das Känguru kommt zurück mit einer BioBrause und einem Limobier. Es überlegt kurz, dann reicht es mir beides.

»Hast du heute schon in die Zeitung gekuckt?«, frage ich. »Da hat in Australien ein Hund ein Känguru in einen See gejagt, aber plötzlich hat sich das Känguru umgedreht und hat den Hund unter Wasser gedrückt, und als das Herrchen seinem Hund zu Hilfe geeilt ist, hat das Känguru den Typ geboxt.«

Ich ziehe eine Zeitung aus meiner Manteltasche und reiche sie dem Känguru. »Ich hab dir den Artikel aufgehoben.«

Es wirft einen gelangweilten Blick auf die Zeitung.

»Hattest du schon davon gehört?«, frage ich. »Kennst du das wehrhafte Känguru?«

»Ja, klar«, sagt das Känguru. »Das war Kevin. Mit dem war ich in der Vorschule.«

»Echt? Ist ja witzig«, sage ich. »Hab mir schon gedacht, dass du den bestimmt kennst.«

»Logisch«, sagt das Känguru. »Ich kenn alle Kängurus. Bin ja selber ein Känguru, verstehste? Da isses ja quasi zwangsläufig, dass ich alle Kängurus kenne. Wäre ja total absurd, wenn ich irgendein Känguru auf der Welt nicht kennen würde, wo ich doch selber ein Känguru bin.«

Ich nehme einen Schluck von dem Limobier.

»Ist das lecker?«, fragt das Känguru.

»Ja.«

»War das ironisch gemeint?«

»Nein.«

»War das ironisch gemeint?«

»Ja.«

Das Känguru kneift die Augen zusammen.

»Weißte«, sagt es, »ganz oft, da sagste so Sachen, da weiß ich nicht recht: Ist das jetzt ernst gemeint? Oder ironisch? Oder post-ironisch?«

»Oder post-post-ironisch …«, sage ich.

»Da! Schon wieder!«, sagt das Känguru. »Und was soll das überhaupt sein? Post-ironisch?«

»Post-ironisch ist, wenn mir die Postbank zu dem Schreiben, dass sie meinen Dispokredit gekündigt haben, einen Flyer dazupackt, dass ich doch die Postbank weiterempfehlen soll.«

Das Känguru wirft einen Blick auf den Hirschkopf über unserem Tisch, an dessen Geweih Feinrippunterhosen hängen. »Bestimmt ironisch gemeint«, sagt es.

Ein Mädchen mit Topfschnitt und weiß gefärbten Haaren steigt auf die Bühne und beginnt noch mal *Abenteuerland* von Pur zu singen.

»Wahnsinn«, sagt das Känguru.

»Habt ihr noch Kontakt?«, frage ich. »Kevin und du?«

»Boah! Alter!«, ruft das Känguru. »Ich kenne das bekackte Känguru nicht! Warum auch? Du kennst ja auch nicht jeden verfickten Kleinkünstler!«

»Aber ich kenne schon ziemlich viele«, sage ich.

»Ja, ja«, sagt das Känguru. »Ihr seid alle im KKK. Dem Kleinkünstlerklan.«

»Ich kenne zum Beispiel den einen, der immer so Witze über Männer und Frauen macht«, sage ich. »Voll das gute Thema. Und ich kenne den, der immer Witze macht über den, der immer Witze über Männer und Frauen macht. Auch voll das gute Thema. Der kann auch voll gut Stimmen imitieren. Und dann kenn ich noch den anderen, der sich ganz, ganz viele Politikernamen gemerkt hat und ganz, ganz viele Schimpfworte auswendig kann. Dann kombiniert er immer lustig. Da steckt auch voll was dahinter. Das geht echt deep. Und ich kenne den, der die Nationalhymne furzen kann. Es ist immer so ein Gänsehautmoment, wenn die Leute dann aufstehen und die Hand aufs Herz legen. Wenn man mal so darüber nachdenkt: Furzen ist ja echt super witzig. Man lacht, weil sich etwas gesellschaftlich Verdrängtes plötzlich unüberhörbar Bahn bricht. Im Prinzip ist es ja das, was Sigmund

Freud meinte, als er in seiner berühmten Abhandlung *Der Witz und seine Beziehung zum Unbewussten* schrieb ...«

»Halt die Klappe«, sagt das Känguru. »Ich möchte nichts mehr über Kleinkünstler hören. Seit du die *Känguru-Chroniken* veröffentlicht hast, fühlen sich nämlich alle Leute bemüßigt, mich jedes Mal zu kontaktieren, wenn irgendetwas über Kleinkünstler in den Nachrichten kommt. Hier zum Beispiel ...«

Das Känguru kramt in seinem Beutel herum und reicht mir nacheinander diverse Zeitungsartikel, deren Überschriften es vorliest.

»Wachsamer Kleinkünstler warnt schlafenden Farmer vor Feuersbrunst«

»Kleinkünstler überfällt deutsche Urlauber beim Picknick«

»Kleinkünstlerbaby von 13-jährigem Mädchen großgezogen«

»Letztes Jahr wurden über 2000 Kleinkünstler auf der Straße überfahren«

Bei der letzten Nachricht muss ich schlucken.

»Ja«, sage ich. »Viele von uns sind rot-grün-blind.«

»Und dann schenken mir die Leute zu allen möglichen und unmöglichen Anlässen Plüschkleinkünstler«, fährt das Känguru unbeirrt fort. »Kuck mal, wie niedlich. So klein ... Oder so Plastikkleinkünstler zum Aufziehen. Die machen Saltos. Von denen habe ich schon vier Stück«, es kramt alles Genannte aus seinem Beutel. »Nein. Kuck. Es sind sogar schon fünf. Die müssen günstig sein! Und hier ...«, es holt ein Magazin hervor, »eine *National-Geographic*-Spezialausgabe: *Deutschland – Das Land der Kleinkünstler!*«

Ich ziehe einen der Plastikkleinkünstler auf und lasse ihn los. Er macht Saltos.

»Ziemlich witzig«, sage ich. »Von wem haste die denn? Von Kevin?«

»Ja, ja«, sagt das Känguru. »Genau. Können wir mal weiterziehen? Das ist mir alles zu ironisch hier. Mein Ironiedetektor spielt verrückt. Ich kann mir keine Meinung darüber bilden.«

»Ich finds flashig«, sage ich. »Die machen auch öfter Konzerte. Hab schon gefragt, ob ich hier mal mit der Band auftreten kann. Und im Keller haben sie eine begehbare Geisterbahn eingerichtet.«

Ich deute auf das Schild mit der Aufschrift »Dungeon«.

»Warst du mal in Hertas Keller?«, fragt das Känguru. »Da mussten sie nicht viel umbauen.«

»Man kann sich sogar an der Theke gruselige Kostüme ausleihen und selber Leute erschrecken«, sage ich.

Eine Gruppe von zwei Dutzend Leuten drängt auf die Karaokebühne.

»Wenn's gut läuft, ein Chor nach der Probe, wenn's schlecht läuft, ein Junggesellenabschied«, sagt das Känguru.

»Wir sind die Urban-Development-Abteilung des My-City-Immobilienfonds auf Betriebsausflug«, sagt der Sprecher des Chores, »und wir singen für euch *I've been looking for freedom.*«

»Also wenn ihr mich fragt …«, sagt das Känguru.

»Wir fragen dich nicht!«, ruft der Chor.

»Mein neuer Kumpel Otto-Von hat doch diese Imbissbude …«, sagt das Känguru.

»Snacks and the City?«, frage ich.

»Ja, genau«, sagt das Känguru. »Und er hat ein radikal neues Konzept entwickelt.«

»So?«

»Er verkauft nichts mehr zu essen, sondern nur noch Billigbier.«

»Aha.«

»Ja. Er verkauft nur noch Billigbier. Damit hat er es sogar in die neue Auflage vom Lonely Planet geschafft. Da steht drin: ›Este restaurante sólo vende cerveza barata.‹ Der ganze Laden steht voll mit Billigbier. Wenn du in die Bude reinkommst: hinter dir Billigbier, vor dir Billigbier. Rechts und links Billigbier. Jedenfalls kommt da letztens so ein Typ rein und fragt: ›Haben Sie auch Billigbier?‹ Und da nimmt Otto eine Flasche aus dem Regal, zerschlägt sie auf dem Tresen und …«

In diesem Moment klingelt unser Telefon. Es ist ein fast schon antikes Telefon mit Wählscheibe, welches das Känguru, wie ich vermute, einzig aus dem folgenden Grund besorgt hat: Es schlägt mit der linken Pfote auf den Sprechmuschelteil des Telefonhörers, woraufhin dieser von der Gabel in die Luft schnellt. Sobald der Hörer am höchsten

Punkt angelangt ist, fischt es ihn mit seiner rechten Pfote wieder aus der Luft. Dann sagt es: »Am Apparat!«

Immer wenn ich diesen Stunt versuche, beende ich das Telefonat vorzeitig oder muss den Hörer vom Boden aufheben. Einmal hat mir der Hörer ein blaues Auge geschlagen.

»Ah! Ausgezeichnet!«, sagt das Känguru. »Aha … Aha … Nein. Schick das direkt an die abgemachte Adresse. Dwigs mit D! Ja. Mit D. Wie Dummkopf. … Na ja … … also … ich kann gerade nicht … Ich bin nicht allein … Ja, ja. Und den Kindern geht's gut? Aha. Nein. Die müssen nicht mehr frisch sein. So lange noch nichts geschlüpft ist. Hehehe. Ach! Schön. Die Oma ist noch fit. Toll …«

Das Känguru wirft mir einen Seitenblick zu.

»Okay. Ich kann hier nicht reden. Ich komme kurz vorbei. Bis denne. Danke für den Anruf! Verbleiben wir so. Grüß schön! Ja, du mich auch. Tschüssi.«

Es legt auf und reibt sich die Pfoten. »Hehehe.«

»Und?«, frage ich.

»Entschuldige mal …«, sagt das Känguru. »Das war ein Privatgespräch!«

»Ich hab schon bei dem Wort ›geschlüpft‹ beschlossen, dass ich nicht wissen will, worum sich dein Gespräch dreht. Ich will wissen, was mit dem Typ war.«

»Welcher Typ?«, fragt das Känguru.

»In der Imbissbude.«

»Welche Imbissbude?«

»Na, *Snacks and the City*!«

»Ich habe keinen Schimmer, wovon du redest«, sagt das Känguru.

»Ach, vergiss es«, sage ich. »Ist unwichtig.«

»Ist es das nicht immer?«, fragt das Känguru und verschwindet.

Wir sitzen mit Friedrich-Wilhelm und Otto-Von in unserem Wohnzimmer.

»Welcher ursprünglich rumänische Stabhochspringer gewann 1956 bei den norddeutschen Meisterschaften in Celle die Bronzemedaille im 110-Meter-Hürdenlauf?«, frage ich das Känguru.

»Was'n das für 'ne Scheißfrage?«, fragt es zurück. »Frag was anderes.«

»Wie heißt der amtierende Staatsratsvorsitzende der DDR?«, frage ich.

»Erich Honecker«, sagt das Känguru.

Ich drehe die Karte um.

»Walter Ulbricht«, lese ich laut.

»Was'n das für ein Scheißspiel?«, fragt Otto.

Schon nach zwei Fragen verstaue ich die Trivial-Pursuit-Ausgabe meiner Eltern wieder fein säuberlich im Schrank und puste noch ein wenig Staub darauf.

»Was ist das eigentlich für ein komischer Typ hier nebenan?«, fragt Friedrich-Wilhelm.

»Der Pinguin?«, frage ich.

»Wir sind ihm vorhin im Flur begegnet, und er hat uns angekuckt, als ob unsere bloße Anwesenheit den Wert seiner Eigentumswohnung senkt.«

»Das tut sie doch auch«, sagt das Känguru.

»Apropos. Wir könnten Monopoly spielen«, schlägt Otto vor.

»Oder Risiko«, sagt Friedrich-Wilhelm.

»Fight the game – not the players!«, sagt das Känguru. »Wie wäre es stattdessen mit einem Rollenspiel? Zum Beispiel ›Verein freier Menschen‹?«

Ich stöhne.

»Wie wär's mit Mensch-ärgere-dich-nicht?«, fragt Otto.

»Ich spiele nie Mensch-ärgere-dich-nicht«, sagt das Känguru, »weil ich mich dabei immer so ärgere.«

»Wir könnten ›Scene it – Das Kinoquiz‹ spielen«, sagt Friedrich-Wilhelm.

»Nein«, sagt das Känguru. »Das habe ich schon mal gespielt. Die Antwort ist immer ›Daniel Brühl‹.«

»So wie früher im Biologieunterricht die Antwort immer ›Photosynthese‹ war«, sage ich.

Als kleinster gemeinsamer Nenner wird von allen Stadt, Land, Fluss akzeptiert.

»Ich schlage als zusätzliche Kategorie ›Revolutionäre Guerillabewegung‹ vor«, sagt das Känguru.

Ich verdrehe die Augen.

»Kampfabstimmung!«, ruft das Känguru.

Es verliert drei zu eins.

»Ich habe immer noch Alpträume von den schier endlosen Diskussionen beim letzten Mal, ob man die FARC noch als revolutionär einstufen kann«, sage ich.

»Aber Fatah, oder was?«, ruft das Känguru. »Fatah hat sich so sehr selbst zerfleischt, ich würde behaupten, dass man sie nicht mal mehr als Organisation einstufen kann. Und außerdem ...«

»Schluss jetzt«, ruft Friedrich-Wilhelm.

Schließlich einigen wir uns darauf, »U-Bahn-Station,

Hassobjekt, Phantasiewort« zu spielen, und ich habe schon Dahlem-Dorf, Digitale Bilderrahmen und DubbiDubbi, aber leider haben wir statt »Revolutionäre Guerillabewegung« noch Ottos Kategorie »Obst & Gemüse« eingeführt. Eine wirklich blöde Kategorie. Vor allem beim Buchstaben D.

Plötzlich meldet sich mein Gehirn wie ein übereifriger Schüler. Es schnipst, reckt den Finger in die Höhe und schreit: »Ich weiß es! Ich weiß es!«

»Also gut«, denke ich. »Dann sag mir das Obst mit D.«

»Dominik!«, verkündet mein Gehirn.

Erst bin ich verwirrt. Dann denke ich sanft: »Nein. Dominik ist kein Obst.«

Einige Sekunden herrscht Stille in meinem Kopf. Dann schreit mein Gehirn: »Dominik! Dominik! Dominik!«

»Fertig!«, ruft das Känguru. »Obst & Gemüse: Datteln.«

»Datteln«, sagt Friedrich-Wilhelm.

»Datteln«, sagt Otto.

»Dominik«, sage ich.

»Er heißt Otto«, sagt Friedrich-Wilhelm.

»Ich weiß«, sage ich.

»Was soll denn Dominik für ein Obst sein?«, fragt das Känguru.

»Frag nicht mich, frag mein Gehirn«, sage ich.

»Das zählt nicht«, sagt Otto. »Außerdem finde ich, dass Phantasiewort eine doofe Kategorie ist.«

»Warum?«, fragt das Känguru.

»Weil es dafür keine Regeln gibt«, sagt Otto.

»Das stimmt so nicht«, sage ich. »Das Wort muss mit dem gewählten Buchstaben beginnen.«

»Und es darf keinen definierten Sinn geben«, sagt Friedrich-Wilhelm.

Das Känguru geht zum Regal, zieht ein Wörterbuch aus einer Stoppersocke und reicht es Otto.

»Also Phantasiewort: DubbiDubbi«, sage ich.

»Dödidedidödidu«, sagt Friedrich-Wilhelm.

»Mir ist nichts eingefallen«, sagt Otto.

»Dialektik«, sagt das Känguru und zieht alle Blicke auf sich.

»Ich kann jetzt in einem halbstündigen philosophischen Diskurs rhetorisch brillant ausführen, warum ich Dialektik für ein Phantasiewort halte«, sagt das Känguru. »Oder ihr genehmigt das einfach …«

»Genehmigt«, rufen Friedrich-Wilhelm und ich.

»Moment mal«, sagt Otto und nimmt das Wörterbuch zur Hand. »Dialektik …«

»Wollen wir 'nen Film kucken?«, frage ich.

Als ich mit der geöffneten Post mein Zimmer betrete, sitzt das Känguru an meinem Schreibtisch vor meinem Notebook und ruft: »Verdammt sei der Erste, der ein Stück Musik mit einem Kopierschutz umgab und auf den Gedanken kam zu sagen ›Dies gehört mir‹, und verdammt seien die Leute, die einfältig genug waren, ihm zu glauben, denn ihr seid verloren, wenn ihr vergesst, dass zwar die Musik allen, aber das Internet niemandem gehört!«

»Du hast *Feuchtgebiete* als Hörbuch runtergeladen?«, frage ich kopfschüttelnd.

Das Känguru blickt mich an. Seine Kinnlade klappt herunter.

»Äh … hä … äh …«, sagt es.

»Du denkst: Woher zum Teufel weiß er das.«

»Woher zum Teufel weiß er das?«, fragt das Känguru.

»Ich werde verklagt deswegen«, sage ich und reiche dem Känguru einen Brief. »Hier.«

Das Känguru überfliegt den Schrieb: »Abmahnung …«, murmelt es, »500 Euro Schadensersatz … Unterlassungserklärung … 500 Euro Anwaltskosten …«

»Mann, Mann, Mann«, sage ich. »Ich wusste immer, dass ich eines Tages vor Gericht landen würde. Aber ich dachte wegen Beleidigung von Würdenträgern, Nichteinhaltung der Produktivitätsstandards, öffentlicher Meinungsäußerung. Solche Sachen. Aber *Feuchtgebiete*?«

»So muss sich Al Capone gefühlt haben, als sie ihn wegen Unregelmäßigkeiten in seiner Steuererklärung verhaftet haben«, sagt das Känguru.

»Du bist nicht in der Position, sarkastische Bemerkungen machen zu dürfen.«

»Behaupte doch einfach, dass du es nicht warst«, sagt das Känguru. »Da hat sich einer in dein WLAN gehackt. So wie damals, als sie mich am Steuer vom Auto deiner Mama geblitzt haben, als wir gesagt haben: ›Ey! Was soll das denn für ein komisches Beweisfoto sein? Das sieht ja aus, als säße da ein Känguru am Steuer.‹«

»Diese schlaue Ausrede haben wohl schon andere probiert«, sage ich und reiche dem Känguru die Anlage zur Abmahnung.

Es murmelt beim Lesen: »… für das Verhalten Dritter verantwortlich … allgemeiner Rechtsgrundsatz, dass jeder, der eine Gefahrenquelle schafft und andauern lässt, zur Abwendung der daraus drohenden Gefahren verpflichtet ist …«

Das Känguru blickt auf: »Jetzt ist also schon ein Internetanschluss eine Gefahrenquelle?«, fragt es und reicht mir den Brief zurück. »Ist ja wie in China.«

»Nee«, sage ich. »Die meinen dich. Du bist eine Gefahrenquelle, du blödes Beuteltier!«

»Na, na, na«, sagt das Känguru und hebt beschwichtigend die Pfoten. »Kein Grund, mit rassistischen Alliterationen um dich zu werfen.«

»Du hohler Hüpfer«, sage ich. »Du Kackkänguru! Du … äh …«

»Macropodidae-Matschbirne«, schlägt das Känguru vor.

»Du Gefahrenquelle!«, rufe ich.

»Weißte, was noch eine Gefahrenquelle ist, Alter?«, fragt das Känguru. »Mein Kopf! Weil da ist ein Gehirn drin.«

»Was soll ich denn jetzt mit diesem Brief machen?«, frage ich.

»Am besten du steckst ihn mir als Knebel in den Mund, sonst sage ich noch Sachen wie: Im ›Rechtsstaat‹ BRD macht die Polizei Hausdurchsuchungen und nimmt deinen Computer mit wegen ›illegaler Downloads‹, aber das kenne ich schon aus dem Unrechtsstaat DDR. Nur hießen die illegalen Downloads da noch ›West-Radio‹! Hie wie da, weil man sich dem beherrschenden Prinzip der Ideologie verweigert. Einst der Kontrolle, heute dem Eigentum. Knebel mich lieber. Sonst …«

Ich knülle die Abmahnung zusammen und stecke sie dem Känguru in den Mund.

»Aber wie soll ich darauf reagieren?«, frage ich.

»Ahhs dhhhenn ahhhnaa«, sagt das Känguru.

»Was?«, frage ich.

Das Känguru spuckt den Brief aus.

»Als dein Anwalt rate ich dir, ein schnelles Auto ohne Verdeck zu mieten«, sagt es. »Und du brauchst Kokain, 'nen Kassettenrekorder für ganz spezielle Musik, Acapulco-Shirts! Und du solltest für mindestens 48 Stunden aus L. A. verschwinden.«

»Das klingt nach einer sehr guten Idee«, sage ich. »Ich muss nur kurz in der Vorratskammer kucken, ob die Ätherflasche noch voll ist.«

»Wenn sie dich verhaften, schicke ich dir gebrannte CDs ins Gefängnis«, sagt das Känguru.

»Ach«, seufze ich. »Ich wünschte nur, du hättest was anderes runtergeladen. Etwas, das den Ärger mehr lohnt.«

»Ich hab auch euer neues Album[6] runtergeladen«, sagt das Känguru.

---

6 http://rapidshare.com/files/4815162342/marc-uwekling_und_die_gesellschaft.rar. Anm. des Kängurus

»Was?!?«, rufe ich empört. »Damit entziehst du uns ja komplett unsere Lebensgrundlage! Jeder von der Band bekommt pro im Handel für den vollen Preis verkaufter CD fast zwanzig Cent! Wie sollen wir denn ohne diese zwanzig Cent leben können?!?«

Wir fangen beide an zu lachen.

»High five!«, sagt das Känguru, und wir klatschen ab.

»Dabei könnte das Internet für euch Künstler extrem befreiende Wirkungen haben«, sagt das Känguru kopfschüttelnd, »aber ihr steckt mit eurer Denke noch genauso in den alten überkommenen Strukturen fest wie die Bosse der Entertainmentindustrie, die durch massive Lobbyarbeit verhindern, dass gesetzliche Rahmenbedingungen geschaffen werden, in denen sich das befreiende Potential der Technologie entfalten könnte, ohne dass die Künstler deswegen am Hungertuch nagen müssten. Und es ist kein Wunder, dass der Apparat mit einer solchen Aggressivität zurückschlägt. Er möchte um jeden Preis verhindern, dass irgendjemandem auffällt, wie überflüssig er ist in Zeiten, in denen eine direkte, drahtlose Verbindung zwischen Künstler und Publikum möglich ist. Und du, mein Freund, du warst nur zu faul, dein neues Album …«

»Wie fandstes eigentlich?«, frage ich.

»Dein Album?«, fragt das Känguru.

»Nee, *Feuchtgebiete*.«

»Ich hab's natürlich nicht angehört«, sagt das Känguru. »Ich habe nichts von dem angehört, was ich runtergeladen habe. Wann denn auch? Wenn ich mal 'ne freie Minute habe, muss ich ja neue Sachen runterladen.«

Ich kicke den Brief in Richtung Mülleimer.

»Hast du dir überlegt, was du in der Sache unternehmen möchtest?«, fragt das Känguru.

»Ich werde den klassischen Problemlösungsweg gehen«, sage ich. »Ich denke einfach nicht weiter darüber nach.«

»Verstehe«, sagt das Känguru. »Ohne diese faszinierende Taktik wäre hier schon längst alles zusammengebrochen.«

»Ich wende sie sehr oft an«, sage ich. »Jedes Mal, wenn ich Nachrichten höre. Jedes Mal, wenn mich etwas verstört. Jedes Mal, wenn du etwas sagst. Jedes Mal, wenn ich etwas verbockt habe.«

»Schön, dass das für dich funktioniert«, sagt das Känguru.

»Es funktioniert nicht.«

Des Abends laufen wir an einer Kirche vorbei, an deren Wand jemand »Religion hat Tausende von Menschen getötet!« gesprayt hat.

»Ts, ts, ts, ts, ts«, sagt das Känguru und schüttelt seinen Kopf. »Ist das nötig? So was muss doch nicht sein.«

Es holt eine rote Spraydose aus seinem Beutel, streicht »Tausende« durch und schreibt »Millionen« darüber. »Leichtsinnsfehler …«, murmelt es.

»Und ich habe mich schon gefragt, was das für ein Typ ist, der jedes Graffito in unserem Block mit Rot überschmiert«, sage ich.

»Nicht überschmiert«, sagt das Känguru. »Korrigiert. Verbessert! Die Leute machen so viele Fehler … Das glaubst du nicht. Inhaltlich. Formal. Rechtschreibung. Kommunismus mit einem M! Von der Zeichensetzung will ich gar nicht reden.«

»Und was sollen diese Korrekturen bringen?«, frage ich.

»Komm mit, Piggeldy«, sagt das Känguru und trottet los.

Zwei Straßen weiter zeigt es mir einen schwarzen »Nazis raus!«-Schriftzug an der Wand.

Mit Rot steht daneben: »Deine Einstellung ist grundsätzlich löblich und deine Absicht zumindest verständlich. Aber da du forderst ›raus‹, stelle dir doch bitte auch die Fragen: Wo raus? Und wohin? Raus aus Deutschland? Schön und gut. Aber wohin? Denn wer will die schon haben? Keiner! Es hat dem Ausland verständlicherweise keineswegs gefallen, als die Nazis das letzte Mal in großer Zahl aus Deutschland rausmarschierten. Schließlich musst du noch bedenken, dass die Nazis dann plötzlich selber Ausländer wären, und wenn du die dann immer noch hassen würdest, wärst du dann selber Nazi? Und müsstest du dann selber raus? Und wo raus und wohin? Du hättest also genauso gut schreiben können: ›Selber!‹ Auf diesem Kindergartenniveau bewegt sich leider deine Argumentation.«

Die komplette Wand ist vollgeschmiert.

»Und das hilft?«, frage ich.

Ich werde zwei Ecken weiter geführt. Dort steht mit Schwarz an der Wand: »Nazi! Bedenke! Du suchst dir für deine Probleme Sündenböcke, dabei bist in Wahrheit du selbst das Problem. Du und das System natürlich.«

»Besser!«, steht mit Rot daneben. »Bei den Worten ›Nazi! Bedenke!‹ kommen mir zwar gleich Sätze wie ›Tauber! Höre!‹ oder ›Blinder! Sieh!‹ in den Sinn. Als rhetorische Figur aber i. O.«

»Es muss ganz schön anstrengend sein, mit den Korrekturen auf dem Laufenden zu bleiben«, sage ich.

»Du machst dir keine Vorstellung«, sagt das Känguru.

Ich entdecke ein Graffito auf der gegenüberliegenden Straßenseite und deute darauf. »Hitler ist besser wie der Kapittalismus«, steht da.

Das Känguru schüttelt entsetzt seinen Kopf. Wir hüpfen über die Straße[7], und es beginnt zu sprühen:

»Huiuiuiuiui. Da weiß ich gar nicht, wo ich anfangen soll. Also rein formal: Kapitalismus mit Doppel-T. Ist das dein

---

7 Das verstört mich immer ein wenig, wenn er das macht. Anm. des Kängurus

Ernst? Außerdem ist der Typ tot. Wie wäre es also mit Präteritum? Und natürlich: ›als‹! Jetzt inhaltlich: Meiner Meinung nach kann man die komplette sogenannte Kapitalismuskritik von rechts, also Kritik an ausländischen Heuschrecken, Ruf nach einem nationalen Protektionismus etc., auf den selten dummen Satz: ›Als Deutscher steht es mir zu, von einem Deutschen ausgebeutet zu werden‹ reduzieren.«

Das Känguru schüttelt seine Spraydose. Als es ansetzt, den nächsten Satz zu schreiben, bemerke ich, dass wir nicht mehr alleine sind. Die Verfasser des ursprünglichen Statements oder ein paar ihrer Geistesbrüder stehen auf der anderen Straßenseite und beobachten uns.

»Was tun?«, frage ich.

»Möööp! Wie heißt Lenins Hauptwerk?«, antwortet das Känguru.

»Wir spielen hier nicht *Jeopardy*!«, flüstere ich. »Kuck mal, die Typen da drüben!«

Das Känguru wirft einen kurzen Blick über die Schulter. »Da muss man sich nicht lange fragen, bei welcher Partei die ihr Hakenkreuz machen«, sagt es. Der Trupp beginnt, die Straße zu überqueren. Sie sind von recht unterschiedlicher Gestalt. Der Erste ist ziemlich klein, der Zweite sehr groß, der Dritte sehr dick, und der Vierte hat Haare.

»Was sollen wir denn jetzt machen?«, frage ich.

»Fragen wir sie doch mal«, sagt das Känguru und dreht sich zu den Neuankömmlingen.

»Wen was fragen?«, fragt der Kleine.

»Bonjour!«, sagt das Känguru gutgelaunt.

Die Augen des Kleinen zucken.

»Wat für 'ne Uhr?«, fragt der Große.

»Na, was sollen wir denn jetzt mit euch machen?«, fragt das Känguru.

»Inwiefern?«, fragt der mit den Haaren.

»Na, immer wenn man auf euch Nazis trifft, will man ja was gegen euch machen«, sagt das Känguru. »Man fragt sich nur, was.«

»Was?«, fragt der Kleine.

»Ja, genau«, sage ich. »Was.«

»Setzt euch doch politisch mit uns auseinander«, sagt der mit den Haaren.

Ich muss lachen.

Er auch.

»Was genau macht ihr hier eigentlich?«, sagt der Kleine.

»Wonach sieht es denn aus?«, fragt das Känguru.

»Es sieht so aus, als ob ihr Stress sucht!«

»O nein!«, sagt das Känguru. »Ganz im Gegenteil. Wir möchten uns gerne bei euch auf ein Praktikum bewerben.«

»Was?«, fragt der Große.

»Welches Wort hast du nicht verstanden?«, fragt das Känguru. »Wir möchten bewerben Praktikum.«

»Wir haben aber keine Praktikumsstelle ausgeschrieben«, sagt der Kleine und spuckt auf den Boden.

»Ja, das ist eine Initiativbewerbung«, sage ich. »Wir sind flexibel, belastbar, innovativ, kreativ, teamfähig, begeisterungsfähig und kreativ.«

»Wir würden gerne neue Soft Skills erlernen durch die Beteiligung an Regionalligaspielen, Hetzjagden, Landtagen und was ihr sonst noch so treibt«, sagt das Känguru.

»Saufen!«, ruft der Große.

»Halt die Klappe, Blödkopf«, sagt der Dicke.

»Einen Moment, bitte«, sage ich in die plötzlich entstandene Pause hinein. »Strategiebesprechung.« Ich flüstere dem Känguru ins Ohr: »Was ist hier der Plan? Du willst sie so wütend machen, dass unser Tod kurz und schmerzlos wird?«

»Nein, nein«, flüstert das Känguru. »Uns kann nichts passieren. Vertrau mir.«

Ich seufze.

»Also?«, fragt der Kleine.

»Das ist eine Initiativbewerbung«, sage ich.

»Diese Fremdwörter!«, schreit er. »Die rauben anständigen deutschen Wörtern ihren Platz auf der Satzbaustelle! Sprecht Deutsch mit mir! Glaubt ihr wirklich, wir würden hier stehen, wenn …«

Er stockt.

»Wenn ihr ein wenig Bildung genossen hättet?«, versucht ihm das Känguru zu helfen.

»Wenn wir ein wenig Bildung genossen hätten?«, übernimmt er den Vorschlag.

»Nein, sicherlich nicht …«, versuche ich ihn zu beruhigen.

»Na seht ihr!«, unterbricht er mich.

»Diese importierten Termini und Anglizismen demolieren die germanische Diktion und deformieren signifikant die Syntax«, sagt der mit den Haaren.

»Ganz genau!«, sagt der Kleine. »Was er gesagt hat … Und jetzt übersetzt ihr dieses dreckige Fremdwort in ein anständiges Deutsch.«

»Okay. Von mir aus«, sage ich.

»Und?«, fragt der Kleine nach einer Pause.

»Was?«, frage ich.

»Was bedeutet es?«

»Es?«, frage ich etwas verängstigt. »Das ist ein Personalpronomen.«

Er läuft rot an.

»Ein gutes deutsches Personalpronomen«, ergänzt das Känguru.

»Du sollst es übersetzen, Kerl!«, ruft der Kleine.

»In welche Sprache denn?«, frage ich. »Englisch? It.«

»Nein, das Fremdwort von vorhin«, ruft der Kleine.

»Ach so. Personalpronomen«, sage ich. »Ein Fürwort. Ein persönliches Fürwort.«

»Nein, das Fremdwort von davor«, ruft der Kleine. »Integrativbewerbung.«

»Initiativbewerbung«, sage ich.

»Nein! Sag es auf Deutsch!«, ruft er.

»Ach so. Von mir aus.«

»Na dann sag es endlich!«, schreit er. »Was bedeutet es?«

»Von ihm aus!«, sagt der mit den Haaren beschwichtigend.

»Fang du nicht auch noch damit an«, ruft der Kleine.

»Von mir aus«, sagt der mit den Haaren.

»Ahhh!«, schreit der Kleine. »Es macht alles keinen Sinn mehr!«

»Ergibt«, sage ich. »Nichts ergibt mehr Sinn. ›Sinn machen‹ ist ein in den deutschen Sprachgebrauch übertragenes englisches Begriffspaar – *to make sense* – und im Deutschen nicht korrekt.«[8]

Der Kleine zerkratzt sich sein Gesicht.

»Nichts macht Sinn außer Saufen!«, sagt der Große.

---

8 Ich verfluche dich, Bastian Sick. Ich habe nur ein klein wenig von *Des Genitivs Tod ist dem Dativ gleichgültig* gelesen, aber jedes Mal, wenn jemand »Sinn machen« sagt, denke ich: »Das ist aber nicht korrekt.« Dabei ist es mir eigentlich scheißegal, ob die Leute »Sinn ergeben« oder »Sinn machen« sagen, denn sie plappern so oder so nur Unsinn.

»Ergibt!«, schreit der Dicke. »Ergibt!«

»Hat euch vieren schon mal jemand gesagt, dass ihr ein bisschen wie die Daltons seid?«, fragt das Känguru. »Ihr könntet …«

»Einen Moment bitte«, fährt der mit den Haaren dazwischen. »Strategiebesprechung«, und der Schlägertrupp steckt die Köpfe zusammen.

»Man sollte die verbieten«, flüstere ich.

»Ja, ja«, flüstert das Känguru. »Aber davon gehen sie ja leider auch nicht weg.«

»Wenn ich's richtig verstanden habe, wurde die NPD Anfang der Nuller ja deswegen nicht verboten, weil man NPD und Verfassungsschutz nicht auseinanderhalten konnte«, sage ich. »Warum haben sie dann nicht einfach beide als verfassungsfeindlich verboten?«

Der Trupp beendet seine Besprechung.

»Also nach einigem Hin und Her sind wir zu dem Ergebnis gekommen, dass wir euch jetzt einfach brutal zusammenschlagen«, sagt der mit den Haaren.

»Und danach gehen wir saufen?«, fragt der Große.

»Denk daran, was wir besprochen haben«, brummt der Dicke.

»Fresse halten?«, fragt der Große.

»Genau.«

»Moment noch bitte«, sagt das Känguru, spitzt seine Lippen und bläst Luft hindurch.

»Was macht es da?«, fragt der Kleine.

»Es versucht zu pfeifen«, sage ich.

»Ich versuche nicht zu pfeifen«, sagt das Känguru eingeschnappt. »Ich pfeife.«

Es bläst noch mal Luft durch die Lippen.

»So pfeift man doch nicht«, sagt der Große belustigt,

steckt sich zwei Finger in den Mund und lässt einen unglaublich lauten Pfiff hören.

»Noch mal bitte«, sagt das Känguru, und ein zweiter Pfiff erschallt.

»Beeindruckend«, schmeichelt das Känguru. »Und jetzt noch drei kurze hintereinander bitte.«

Er tut wie ihm geheißen.

Sofort stürmen zwei Dutzend Jugendliche herbei, rote Boxhandschuhe über den Händen.

»Ah! Die Kavallerie!«, sagt das Känguru und wendet sich zum Gehen.

»Komm mit, Piggeldy!«, sagt es.

»Du weißt schon, dass Frederick der Doofe ist?«, frage ich.

Und Piggeldy ging mit Frederick nach Hause.[9]

---

9 Da kann man jetzt natürlich darüber streiten, ob das eine wirklich dauerhafte Lösung des Problems war, aber für diesen einen kleinen Moment … Anm. des Kängurus

Als das Känguru dreißig Stunden geschlafen hatte, verließ es seine Heimat und den Kühlschrank seiner Heimat und ging in die Kneipe. Hier genoss es seines Geistes und seiner Einsamkeit und wurde dessen zehn Stunden nicht müde. Endlich aber verwandelte sich sein Herz, und des Morgens kam es mit der Morgenröte zurück, trat vor seinen Mitbewohner und sprach zu ihm also: »FindstnichaudieWeltviezunübersichtlistunallvieznellgeht?«

»Was?«, frage ich. »Noch mal langsam bitte.«

»Findest du nicht auch, dass die Welt viel zu unübersichtlich ist und alles viel zu schnell geht?«, fragt das Känguru.

»Mhm«, sage ich.

»Deshalb habe ich beschlossen, ab sofort alles in nur noch zwei übersichtliche Kategorien einzuteilen.«

»Meins und Deins?«

»Quatsch! Das sind doch bürgerliche Kategorien.«

»Ja, ja.«

»Ich habe ein Wertesystem jenseits von Meins und Deins entwickelt«, ruft das Känguru mit Pathos. »Durch lange Studien habe ich herausgefunden, dass die einzig relevante Einteilung der Postmoderne lautet: Witzig oder nicht witzig?«

Es macht eine bedeutsame Pause.

»Witzig oder nicht witzig«, wiederholt es. »Das ist hier die Frage!«

»Laut und leise wären auch gute Kategorien«, murmle ich.

»Und damit ich nicht immer wieder alles aufs Neue einteilen muss, habe ich mir zwei praktische Stempel anfertigen lassen.«

Es fischt ein Stempelkissen aus seinem Beutel und kramt nach den Stempeln.

Unser Telefon klingelt. Ich schlage mit der linken Hand auf den Sprechmuschelteil des Telefonhörers, woraufhin dieser von der Gabel in die Luft schnellt und am höchsten Punkt von meiner rechten Hand verfehlt wird. Er fällt zurück auf den Tisch und zertrümmert meine Kaffeetasse, deren heißer Inhalt sich über meine Hose ergießt, weswegen ich plötzlich aufspringe und gegen die Deckenlampe stoße. Daraufhin setze ich mich wieder, nehme den Telefonhörer in die Hand und sage: »Am Apparat!«

Das Känguru drückt mit seiner rechten Pfote einen Stempel erst ins Stempelkissen und dann auf meine Stirn.

»Witzig«, ruft es. Dann zieht es mit der anderen Pfote ein Handy aus seinem Beutel, und ich höre im Telefonhörer das Känguru kichern. Es steht von der Couch auf und hüpft Richtung Küche.

»Weißt du, dass 63 Prozent aller Handytelefonate in Sichtweite geführt werden?«, fragt es übers Telefon.

»Echt?«, frage ich. »Stimmt das?«

»Irrelevant, mein Freund«, sagt das Känguru. »Wahr oder falsch ist so was von 20. Jahrhundert. Diese Information war witzig. Das allein rechtfertigt sie. Soll ich dir was aus der Küche mitbringen?«

Ich blicke auf die Schweinerei vor mir.

»Einen neuen Kaffee«, sage ich.

»Witzig!«, ruft das Känguru.

»Ahahamuhmuhmuh«, mache ich. »Weißt du, was ich

witzig finde? Dieser Spaß hier kostet dich mit deinem Prepaid-Handy 29 Cent pro Minute.«

»Nee. Ich telefonier von deinem Handy.«

»Hm«, sage ich.

»Ich dachte, jetzt legste auf«, sagt das Känguru.

»Nee«, sage ich. »Flatrate.«

»Warte mal kurz«, sagt das Känguru, »da klopft ein anderer Anrufer an.«

»Ja, hallo?«, fragt es.

»Dein Handy liegt hier bei mir im Wohnzimmer«, sage ich über des Kängurus Handy.

»Ich habe die Karte von deinem Geld gekauft«, sagt das Känguru.

»Ich kann nicht gewinnen«, sage ich.

»Nein …«, sagt das Känguru belustigt.

»Rock'n'Roll ain't noise pollution. Rock'n'Roll is just Rock'n'Roll. Yeah.«
Walter von der Vogelweide

Ich sitze mit der Gesellschaft, meiner Band, im Backstage von *Tefkabh*, und wir frönen vor dem Auftritt einem Vergnügen, dessen Reize für Außenstehende kaum verständlich sind: Musikerwitze.

»Wisst ihr, wie die Zusammenarbeit von Eminem und Dr. Dre zustande kam?«, fragt der Keyboarder. »Die sind sich auf der Straße entgegengekommen, und Eminem sagte: ›Ey, du Opfer! Willst du mich produzieren, oder was?‹«

Das Känguru verdreht die Augen. Es ist hier, um einem Vergnügen zu frönen, dessen Reize für Eingeweihte kaum verständlich sind: backstage rumhängen. Der Backstage-Raum ist schön, wohltemperiert, sehr groß, hat eine funktionierende Toilette und Fenster. In der Mitte steht ein Schokobrunnen. Natürlich gibt es auch eine eigene Bar backstage. Es ist die Bar mit dem netten Personal. Der Schlagzeuger wirbelt mit seinen Trommelstöcken herum und schlägt auf alles ein, was eventuell bumm oder bang macht.

»Ich bin der Drummer mit vier Armen und vier Beinen!«, ruft er. »Man nennt mich Spider-Sven!«

Das Känguru verdreht die Augen.

»Niemand nennt dich Spider-Sven«, sagt es.

»Auf einem Bass kann man genau zwei Töne spielen«, sagt der Gitarrist. »Brumm und Dröhn.«

»Das ist nicht witzig«, sagt das Känguru.

»Ich kenne einen, der hat sich eine Vintage-Gitarre bauen lassen«, sagt der Bassist, »mit abgenutztem Griffbrett und Macken und so. Dann hat er aus Versehen eine echte Macke reingehauen und die Gitarre zum Reparieren gegeben.«

Alle lachen. Außer der Gitarrist.

»Der Laden hat die falsche Macke repariert«, grummelt er.

»Das ist witzig«, sagt das Känguru.

»Ein bisschen mehr Respekt bitte«, sagt der Gitarrist. »Das ist 'ne 73er Strat-Kopie mit 'nem Erlenkorpus und 'nem Keramikmagneten in der Spule. Sie klingt aber wie 'ne 58er SG, weil ich die Phase zwischen den Single-Coils hab umkehren lassen, damit ...«

Das Känguru steht wortlos auf und geht zur Bar. Ich folge ihm. Es bestellt zwei Cocktails.

»Es hat sich einiges verändert, seit ich im Business war«, sagt es.

»In was'n für 'nem Business?«, frage ich.

»Ich hab gesungen in 'ner Punkband«, sagt das Känguru.

»In was'n für 'ner Punkband?«, frage ich.

»Pierre Baisemoi an der Gitarre, Ekkehard Ekel am Bass und Manfred Festinger, genannt ›ManniFest‹, am Schlagzeug«, sagt das Känguru.

»Ekkehard Ekel ...«, sage ich. »Soso.«

»Das waren alles Künstlernamen«, sagt das Känguru.

»Nun ja«, sage ich. »Ich weiß nicht, ob man in diesem Zusammenhang von Kunst reden sollte.«

»Wir hießen Die kranken Schwestern«, sagt das Känguru. »Wir hatten alle immer so weiße, hautenge Latex-Krankenschwesterkostüme an. Mit Häubchen und so. Die Jungs trugen auch noch weiße Netzstrümpfe und Stöckelschuhe.«

»Verstehe.«

»Wir haben so Genderpunk gemacht«, sagt das Känguru. »Ziemlich Avantgarde.«

»Hm.«

»Aber das war 'ne andere Zeit damals«, sagt das Känguru. »Kann man sich heute nicht mehr so vorstellen.«

»Nee.«

»Wir haben zwei ziemlich gute Alben aufgenommen«, sagt das Känguru und kramt zwei Schallplatten aus seinem Beutel. »Das erste hieß: *Krank*. Das zweite hieß *Krank 2*.«

»Krass«, sage ich.

»Nee. Krank«, sagt das Känguru.

»Ich mein krass: Zwei Alben.«

»Drei«, sagt das Känguru. »Vor den Krank-Sessions hatten wir schon ein Folk-Album mit dem Titel: *Die Zeiten, sie … äh … ändern sich* aufgenommen. Da hießen wir aber noch Die Bäume«

»Die Bäume?«, frage ich.

»Ja, am Anfang konnten wir uns nur schwer auf einen Namen einigen. Deshalb hat der alle paar Wochen gewechselt. Zuerst haben wir uns Die abgezogenen Dielen genannt. Dann Die Angestellen und dann hießen wir kurzzeitig Die Kräuter der Provinz. Jan, Pierre und Manni kamen ja eigentlich alle aus dem Schwarzwald. Danach nannten wir uns Die Bäume, auch wegen dem Schwarzwald, und dann haben wir eine Zeitlang Post-Post-Industrial-Kram gemacht und uns Die sanierten Altbauten genannt.«

»Und schließlich Die kranken Schwestern«, sage ich.

»Jup.«

Ich werfe einen Blick auf die Tracklist.

- *Wir sind die kranken Schwestern!*
- *Das System ist krank!*
- *Die Gesellschaft ist krank!*
- *Du bist krank!*
- *Ihr seid Deutschland!*
- *Ihr seid alle krank! Krank! Krank!*
- *Engelsgesang*

»Das klingt doch vielversprechend«, sage ich.

»Wir haben noch wirklich Punkrock gemacht«, sagt das Känguru. »Nicht so Reformhaus-Punk wie ihr.«

»Ihr habt keinen Punkrock gemacht«, sage ich, »ihr habt Krankrock gemacht.«

Ich nippe an meinem Cocktail.

»Habt ihr auch Buttons vertickt, auf denen draufstand: ›Krank's not dead!‹?«, frage ich.

»Nee. Wir haben aber bei jeder Platte ein bisschen Erde unters Cover getan«, sagt das Känguru. »Hidden Dreck.«

»Man fragt sich wirklich, warum ihr nie groß rausgekommen seid«, sage ich.

Der Rest der Gesellschaft setzt sich zu uns an die Bar.

»Und wenn ich die beiden Single-Coils in Reihe schalte«, sagt der Gitarrist, »dann klingt das, wie wenn ich bei 'ner 64er Paula mit verschraubtem Hals zwei Humbuger direkt an die Eisenbrücke …«

»Pfeif mal«, sagt das Känguru.

Der Gitarrist pfeift.

»Warum sollte ich pfeifen?«, fragt er.

»Wer pfeift, kann nicht reden«, sagt das Känguru und wendet sich wieder zu mir. »Jedenfalls wurden mir Die kranken Schwestern nach dem zweiten Album zu kommerziell, und ich bin ausgestiegen. Die anderen haben ohne mich weitergemacht. Sie sind auf den Technozug aufgesprungen und haben sich umbenannt in KrankenHouse, obwohl ich vorgeschlagen hatte, sie sollten sich lieber Die kranken Kassen nennen.«

»Über KrankenHouse habe ich letztens was im Internet gelesen«, sagt der Schlagzeuger[10]. »Die sind wohl ziemlich Big in Japan. Fast 'ne Million verkaufte Platten in Asien!«

»Von wegen Platten …«, sagt das Känguru abfällig. »Downloads.«

»Haste das nie bereut, da ausgestiegen zu sein?«, fragt der Keyboarder[11].

»Na ja«, sagt das Känguru. »Auch Gott verliert manchmal 'ne Runde Skat. Wenn ihr versteht, was ich meine.«

»Die Vorband ist übrigens seit 'ner guten Stunde fertig«, sagt der Barkeeper. »Aber no pressure.«

»Habt ihr euch früher auch immer gefragt, warum die Bands so ewig brauchen, bis sie endlich auf die Bühne kommen?«, fragt der Bassist[12].

»Wisst ihr, warum ein Bass nur vier Saiten hat«, fragt der Gitarrist[13].

Das Känguru steckt seinen Kopf in den Schokobrunnen.

---

10 Also known as: Your friendly neigbourhood Spider-Sven!

11 Also known as: Magic Michi!

12 Also known as: King Jorgos, the 2nd!

13 Also known as: Never-ending Nils!

Es ist Sonntagnachmittag. Ich hänge kopfüber von der Couch und starre in den Fernseher.

»Heute Abend sehen Sie hier auf diesem Kanal die neue Dokureihe Hitlers Anschlüsse: Telefon, Internet, Österreich. Und jetzt: Niedliche Tiere. Bleiben Sie dran.«

Leider laufen mir immer wieder schwarz gekleidete junge Menschen mit roten Boxhandschuhen durchs Bild. Das Känguru hat die Trainingsstunden auf Sonntag verlegt, damit der Pinguin mehr davon hat.

»... Das Känguru ist ein Beuteltier und lebt in Australien ...«

In der Küche höre ich das Känguru schreien: »Die erste Regel des Boxclubs lautet:«

»... Kleine Kängurus boxen so lange übermütig ihre Artgenossen ...«

»... Ihr redet nicht über den Boxclub!«

»... bis sie selbst einen ersten Schlag auf die Nase bekommen ...«

Ein Junge in einem schwarzen Kapuzenpulli und roten Boxhandschuhen stolpert über das Verlängerungskabel, und der Fernseher wird schwarz.

»Die zweite Regel des Boxclubs lautet: Ihr redet nicht über den Boxclub«, schreit das Känguru. »Die zweite Regel könnt ihr euch mit folgender Eselsbrücke merken: Es ist dieselbe Regel wie die erste!«

Genervt stehe ich auf und gehe in die Küche.

»Die dritte und letzte Regel des Boxclubs lautet: Wer einen Nazi sieht, muss ihn boxen!«, ruft das Känguru und springt vom Tisch.

»Und jetzt üben wir! Wer von euch will boxen?«

Trotz geflüsterter Warnungen der anderen melden sich ein paar Neue.

»Du da«, sagt das Känguru. »Bereit?«

»Na ja«, sagt der Junge und tritt vor. Schon hat ihm das Känguru einen rechten Haken verpasst, und er geht zu Boden.

Das Känguru dreht sich um die eigene Achse und blickt herausfordernd in die Runde.

»Weeeer von euch will boxen?«, ruft es.

»Ich«, sage ich und schlage dem Känguru mit der Faust auf die Nase.

»Aua!«, schreit das Känguru. »Spinnst du?«

Es reibt sich die Nase.

»Das tut voll weh!«, sagt es. »Wo haste denn die Scheißidee her?«

»Aus dem Fernsehen«, sage ich.

»Wir machen erst mal Pause«, sagt das Känguru kopfschüttelnd. »Haut ab. Holt euch 'ne Falafel.«

Die Schüler salutieren, schlagen sich dabei mit den Boxhandschuhen auf die Augen und verschwinden.

Das Känguru reicht mir zwei Boxhandschuhe und hebt die Fäuste.

»Was soll das?«, frage ich.

»Bring zu Ende, was du angefangen hast!«

»Das ist ja wie das Ende von *Rocky 3*«, sage ich. »Als Apollo und Rock... Aua!«

* * * @-(

»Das wird doch alles von den Medien hochsterilisiert!«
Osama bin Laden

Ich stehe vor dem Küchenfenster und wackle an einem lockeren Schneidezahn. Auch meine Nase hat einen beachtlichen Knacks abgekriegt.

»Todschick«, sagt das Känguru.

Friedrich-Wilhelm hat mir meine Nase vergipst. Ich werde das dumpfe Gefühl nicht los, dass es gute Gründe dafür gibt, dass er sein Medizinstudium noch nicht abgeschlossen hat.

»Siehst aus wie Jack Nicholson in *Chinatown*«, sagt das Känguru. »Ziemlich fetzig.«

Ich versuche zu schnauben. Es klappt nicht.

»Tut's weh?«, fragt das Känguru.

»Nur, wenn ich atme«, sage ich und drehe mich zum Känguru. »Siehst selbst übrigens auch nicht schlecht aus.«

Dem Känguru hat Friedrich-Wilhelm eine Halskrause umgelegt. Es soll zwei Wochen seinen Kopf nicht drehen und bewegt sich deshalb wie ein Roboter.

»Siehst aus wie Julia Roberts in *Erin Brokovich*«, sage ich.

Das Känguru schüttelt verärgert seinen Kopf, was es sofort bereut.

»Tut's weh?«, frage ich.

»Nur, wenn ich mich bewege«, sagt es.

Friedrich-Wilhelm kommt von der Toilette zurück.

»Habt ihr das eigentlich gehört?«, fragt er. »Es gab in Dänemark über das Verbot von Burkas eine hitzige Parlamentsdebatte mit großem Medienecho.«

»Nee«, sage ich und schüttle den Kopf.

»Ja, davon habe ich gehört«, sagt das Känguru. »Meines Erachtens habe sogar ich euch beiden davon erzählt. Aber das ist typisch. Du erzählst mir meine Geschichte, als wäre es deine, und du kannst dich an nichts erinnern!«

»Jedenfalls hat das dänische Parlament dann eine Studie in Auftrag gegeben«, sagt Friedrich-Wilhelm, »und die hat nachgezählt: In Dänemark gibt es zurzeit drei Frauen, die eine Burka tragen und von diesem Verbot betroffen wären.«

»Ernsthaft?«, frage ich. »Ist das wahr?«

»Was hast du nur immer mit wahr und falsch?«, fragt das Känguru und dreht sich in seiner Roboterweise vom Kühlschrank zu mir. Es hat Schnapspralinen gesucht und gefunden.

»Na, falls ich auf der Bühne davon erzähle«, sage ich.

»Das ist doch irrelevant!«, sagt das Känguru. »Als Künstler darf man ruhig lügen, um die Wahrheit zu sagen. Und die Wahrheit ist, dass dieser ganze Burkaquatsch – wie so vieles andere – nur eine Verschleierungstaktik ist, um uns von den wirklich relevanten Problemen abzulenken! Was kichert ihr denn so blöd?«

»Eine Burka ist eine Verschleierungstaktik«, sage ich und klatsche mit Friedrich-Wilhelm ab. »Aber ernsthaft. Drei? Stimmt die Zahl?«

»Was weiß ich?«, sagt das Känguru. »Ich hab sie jedenfalls in einer Zeitung gelesen.«

Es kramt die *Süddeutsche Zeitung* vom 17.09.2010[14] aus seinem Beutel. Der Artikel wurde als »WITZIG« abgestempelt.

»Wenn du ganz sichergehen willst, kannst du aber auch nach Dänemark fahren und nachzählen. Aber bis du mit deiner Volkszählung durch bist, wurde vielleicht eine schon von einem wertkonservativen Dänen erschlagen und zwei neue sind dafür eingewandert, dann wären's vier! Huh! Wie bedrohlich. Vier.«

»Tja, ja«, sage ich. »Die Menschheit wird aussterben, unfruchtbar geworden wegen irgendeines Weichmachers in Plastikflaschen, aber Hauptsache, wir haben dabei die ganze Zeit Angst vor Terroranschlägen gehabt.«

»Im Übrigen«, sagt das Känguru. »Nicht dass wir uns falsch verstehen ... Ich halte den Islam natürlich für genauso großen Unsinn wie alle anderen Religionen auch.«

»Psst!«, sage ich. »Spinnst du? So was darfst du doch nicht sagen. Die sind überall!«

Ich deute auf Friedrich-Wilhelm.

»Wir klammern uns an dich und sprengen dich in die Luft!«, sagt Friedrich-Wilhelm.

»Und das ist noch der günstigste Fall«, sage ich. »Im ungünstigsten Fall berichtet CNN über dich, und dann werden wieder ganz viele Flaggen verbrannt. Hinter allem stecken meines Erachtens sowieso die Chinesen.«

---

14 Zahlen flößen Vertrauen ein! 72 Prozent aller Leser sind durch diese Datumsangabe eher geneigt, die so eben berichteten Fakten als wahr zu akzeptieren. Dabei stand der Artikel gar nicht am 17.09.2010 in der Zeitung, sondern am 18.09.2010. Auch stand er nicht in der *Süddeutschen Zeitung* sondern in der *Frankfurter Rundschau*. Und natürlich ist die in dieser Fußnote genannte Prozentangabe frei erfunden. Anm. des Kängurus

»Wie bitte?«, fragt das Känguru.

»Na, weil die doch die ganzen Flaggen produzieren, die alldieweil verbrannt werden. Deshalb schüren die überall auf der Welt die Krisen. Schlicht um die Nachfrage hochzuhalten. Man muss ja immer nur fragen: ›Cui bono?‹ ›Wer profitiert?‹«

»Dass du lügen darfst, heißt nicht unbedingt, dass du totalen Quatsch erzählen sollst«, sagt das Känguru.

»Apropos China …«, sagt Friedrich-Wilhelm. »Hat dir schon mal jemand gesagt, dass du leichte Ähnlichkeit mit Jack Nicholson in *Chinatown* hast? Ziemlich fetzig.«

»Das ist ja unglaublich originell«, sage ich.

»Da bist du tatsächlich der Erste, der sich diesen lustigen, lustigen Scherz ausgedacht hat«, sagt das Känguru. »Darf ich der Erste sein, der dir zu so viel geistreichem Witz und Cleverness gratuliert?«

»Danke, danke«, sagt Friedrich-Wilhelm. »Weißt du, ich bin Cineast. Habe ich euch schon mal erzählt, wie ich mal Daniel Brühl in der Fußgängerzone …«

»Das war auch ich!«, ruft das Känguru. »Mir ist Daniel Brühl in der Fußgängerzone begegnet! Das ist meine Geschichte! Und du, du warst dabei!«

Das Känguru deutet auf mich. »Sag, dass das uns passiert ist!«

»Ich kann mich nicht daran erinnern«, sage ich.

»Narg!«, ruft das Känguru.

»Ach, Daniel Brühl«, sagt Friedrich-Wilhelm. »Den hat doch jeder schon mal gesehen.«

»Ja«, sage ich. »Wenn der an Weihnachten nach Hause kommt, denkt seine Mutter bestimmt: ›O nein! Nicht Daniel Brühl. Der ist ja so omnipräsent.‹«

»Wenn die *Känguru-Chroniken* mal verfilmt werden, würde garantiert Daniel Brühl das Känguru spielen«, sagt Friedrich-Wilhelm.

»Und dich würde Moritz Bleibtreu spielen«, sage ich. »Dann müsste man nicht wirklich einen Türken casten.«

Friedrich-Wilhelm nimmt sich eine Praline aus der Packung.

»Ey, das darfst du nicht«, ruft das Känguru.

»Das sind Schnapspralinen«, sage ich.

»Ich darf alles«, sagt Friedrich-Wilhelm und wirft sich die Praline in hohem Bogen in den Mund. »Ich bin Atheist.«

»Du hast da was falsch verstanden«, sagt das Känguru. »Du darfst die nicht essen, weil das sind meine Schnapspralinen!«

»Ach. Mein, dein«, sagt Friedrich-Wilhelm. »Das sind doch bürgerliche Kategorien.«

»Das ist mein Spruch!«, ruft das Känguru aufgebracht. »Meiner!«

»Weg!«, ruft das Känguru. »Weg! Schnell weg vom Telefon!«

»Mama, du musst mir die Geschichte später fertig erzählen«, sage ich noch, da schubst mich das Känguru schon vom Stuhl und legt den Hörer auf die Gabel. Es holt eine Riesenpackung Knabberzeug aus seinem Beutel, schlägt mit der einen Pfote auf den Telefonhörer, fängt ihn mit der anderen auf und beginnt, hastig zu wählen.

»Ja? Hallo? Kundenservice?«, fragt das Känguru. »Hören Sie! Ich habe hier eine Ihrer Ein-Kilogramm-Nussmischungen vor mir, und da haben Sie auf den Aufkleber vorne draufgedruckt: ›Kann Spuren von Erdnüssen und/oder anderen Nüssen enthalten.‹«

Das Känguru wirft sich ein paar Nüsse ein.

»Ich möchte Sie nun in aller Form darauf hinweisen, dass es sich bei den sogenannten Erdnüssen keineswegs um Nüsse, sondern um Hülsenfrüchte handelt. Die Bezeichnung ›Erdnüsse und andere Nüsse‹ ist also mehr als irreführend … Hallo? Hallo? Na, so was …«

»Einfach aufgelegt?«, frage ich. »Frechheit.«

Ohne mir zu antworten, wählt das Känguru noch einmal.

»Hallo? In diesem Zusammenhang stellt sich doch auch die Frage, ob die sogenannten Erdnüsse überhaupt etwas in einer sogenannten Nussmischung zu suchen haben oder ob man das Produkt nicht viel mehr ›Nuss-/Hülsenfrüchte-Mischung‹ ... Hallo? Hallo?«

»Bist du fertig?«, frage ich.

Das Känguru gibt mir mit einer Handbewegung zu verstehen, dass ich still sein soll, und wählt aufs Neue.

»Hallo? Ja. Nicht ohne Grund nämlich nennen die Araber diese angebliche Nuss ›sudanesische Bohne‹. Interessanterweise handelt es sich übrigens bei der sogenannten Erdbeere keineswegs um eine Beere, sondern um eine sogenannte Sammelnussfrucht, dennoch findet man sie fast nie in einer Nussmischung ... Hallo?«

»Darf ich jetzt wieder telefonieren?«

»Einen Moment noch«, sagt das Känguru und zieht eine Tageszeitung aus seinem Beutel. Es wählt eine neue Nummer. Ich setze mich vor meinen Computer und tue, was ich immer tue, wenn ich nicht weiß, was ich tun soll. Ich rufe meine E-Mails ab.

»Ja. Hallo? Hören Sie?«, sagt das Känguru. »In Ihrer aktuellen Ausgabe benutzen Sie in Ihrem Leitartikel die Bezeichnung ›Amerikas schwarzer Präsident‹, und fünf Zeilen darunter erklären Sie, dass es sich bei Barack Obama um den ersten ›Farbigen im Weißen Haus‹ handele. Nun möchte ich Sie in aller Form darauf hinweisen, dass es sich bei Schwarz keineswegs um eine Farbe, sondern um eine Helligkeitsstufe ... Hallo?«

Das Känguru legt auf.

Ich durchstöbere meinen Posteingang.

»Seit geraumer Zeit bekomme ich so wunderbar wunderliche Spammails«, sage ich. »Mit geradezu poetischen Betreffzeilen.«

»Zum Beispiel?«

»Zum Beispiel: ›2010: Die Moehre im Bettchen dicker machen‹«, sage ich. »Alles an diesem Satz finde ich faszinierend. Die Zahl zu Beginn. 2010! Das klingt immer noch so nach Science-Fiction. Ich glaube, für meine Generation wird 2010 noch im Jahr 2020 nach Science-Fiction klingen. Ich stelle mir die Klänge von *Also sprach Zarathustra* vor und dazu einen Sprecher wie in einer Filmvorschau: ›2010: DIE MOEHRE IM BETTCHEN DICKER MACHEN‹. Überhaupt: ›Die Moehre‹. Und der Diminutiv: ›Bettchen‹. Diese perverse Mischung aus Schulmädchenreport und Alice im Wunderland. Wählst du die rote oder die blaue Pille? Die rote Pille macht die Möhre dünner, die blaue macht sie dicker. Faszinierend.«

»Ich kann deine Faszination nicht vollständig teilen«, sagt das Känguru.

»Du löschst auch all deine Spammails ungelesen. Ich hingegen verfolge schon seit einigen Jahren – zuerst unfreiwillig, aber dann immer interessierter – die Evolution des Spams. Quasi von ›Ficken bis der Arzt kommt‹ über ›Wieder mehr Steifheit in der Hose‹ bis hin zu meiner neuen Lieblingszeile: ›Die Weggefährtin im Triebleben mit mehr Engagement überzeugen‹, und ich muss sagen, mir gefällt die Richtung, in die die Autoren mit der neuen Staffel gehen. Es ist, als ob die Spam-Mail-Schreiber mit den Leuten an den Spam-Filtern Tabu spielen würden.«

»Wer umschreibt, der bleibt«, sagt das Känguru.

»Und da immer mehr eindeutig sexuell aufgeladene Worte auf dem Index landen, also dafür sorgen würden, dass die Spam-Filter einschreiten, werden die Spam-Mails immer lyrischer und rätselhafter. Ich bin so begeistert von diesem Spiel, dass ich eigene Vorschläge einreichen möchte. Pass auf: ›Beim Vollzug des Beischlafes die Gemahlin durch gesteigerte Manneskraft betören‹.«

»Die Lebensgefährtin verzücken beim Reproduktionsakt«, sagt das Känguru.

»Die Eva unter dem Apfelbaum wieder erkennen«, sage ich.

»Das ist mir zu biblisch«, sagt das Känguru. »Wie wär's mit: ›Die Maid durch Unbiegsamkeit in Sinnestaumel versetzen‹?«

»Schön«, sage ich. »Und jetzt aufgemerkt. Ein Meisterstück:

Nicht mehr bleibest du umfangen
In der Finsternis Beschattung,
Und dich reißet neu Verlangen
Auf zu höherer Begattung.«

»Das klingt ja schon wie Goethe!«, sagt das Känguru.

»Das ist von Goethe«, sage ich.

»Das ging aber schnell«, sagt das Känguru. *Tefkabh*, The Eckkneipe formerly known as ›Bei Herta‹, ist einem Café gewichen, das ganz groß mit vier magischen Buchstaben wirbt: W. L. A. N. Es nennt sich *Hafen der digitalen Bohème*.

»Angeblich hat ein Nachbar ständig wegen Lärmbelästigung das Ordnungsamt gerufen«, sage ich.

»Und ich habe auch ’ne Vermutung, welcher Nachbar das gewesen sein könnte«, sagt das Känguru. »Er steht auf Teewurst!«

Es sieht leicht genervt aus. Ein kleines Kind springt auf seinem Schwanz umher, ein anderes klettert seinen Rücken hinauf und versucht, sich an der Halskrause hochzuziehen. Die dazugehörigen Väter sitzen von drei kolossalen Heizpilzen beschirmt bei minus fünf Grad im T-Shirt draußen vor dem Café.

»Ich habe ja jetzt den Zuschlag für das Design von den Wahlplakaten der Grünen bekommen«, sagt der eine.

»Super«, sagt der andere. »Dann haste ja gleich wieder was, wenn wir mit dem Relaunch der RWE-Website fertig sind.«

»Ja«, sagt der Erste. »Aber erst muss das Babyprojekt noch durch.«

Neben den beiden sitzt eine 50-Jährige und stillt ihren 4-jährigen Sohn. Ich kratze mich am Kopf.

Das Känguru zieht ein Babyprojekt, das in seinen Beutel gekrabbelt ist, wieder heraus und drückt es einem Vater in den Arm.

»Es ist kein Wunder, dass die Kinder alle so nervig sind, wo doch die Eltern alle so nervig sind«, sagt es.

Ich öffne die Glastür, und wir stolpern ins Café hinein. Alle Tische sind besetzt.

»Muss denn in dieser Stadt wirklich niemand mehr arbeiten gehen?«, rufe ich verärgert.

Achtzehn Köpfe erheben sich von achtzehn Laptops und rufen: »Wir arbeiten doch!«

»Ja, ja«, sage ich. »Was arbeitet ihr denn?«

»Wir bleiben in Kontakt!«, ruft der Chor.

»Alle kennen und nix können«, sagt das Känguru.

»Alexander, Anna, Jan, Sandra, Sarah, Martin, Daniel, Nadine, Jennifer, Michael, Katharina, Katrin, Christian, Stefanie, Julia, Sebastian, Sebastian und Sebastian gefällt das«, ruft der Chor.

»Schnauze«, ruft das Känguru.

Ich hole mein Diktiergerät aus der Manteltasche und sage: »Die Glasfront des Cafés ist geöffnet, und die aufgeheizte Luft von draußen zieht wie ein Föhnwind durch den Hafen der digitalen Bohème, in dem die Werbefachleute, die Praktikanten und die Selbstausbeuter auf einen Kaffee anlegen, bevor sie wieder in die unendlichen – wenn auch meist sehr flachen – Weiten der globalen Datenströme abtauchen. Nietzsche kommt einem in den Sinn: ›Ach, wo ist noch ein Meer, in dem man ertrinken könnte … So klingt unsere Klage – hinweg über flache Sümpfe.‹ Nun. Hier ist es nicht.«

Das Känguru blickt mich besorgt an.

Ich trete zu einer Frau, die allein mit ihrem Notebook an einem großen Tisch sitzt.

»Dürfen wir uns dazusetzen?«, frage ich.
»Es ist ein freies Land«, sagt die Frau.
»Na«, sagt das Känguru, »daaa bin ich aber anderer Meinung.«
Es setzt sich trotzdem.
»Soll ich dir diese Meinung erläutern?«, fragt das Känguru.
»Och. Muss nicht sein«, sage ich. »Wer von uns geht zum Tresen?«
»Schnick, Schnack, Schnuck?«, fragt das Känguru.
»Aber ohne Brunnen«, sage ich.
»Is gut«, sagt das Känguru. »Bereit?«
»Ja.«
»Schnick, Schnack, Schnuck!«, ruft das Känguru.
Das Känguru hat eine Schere, und ich …
»Du fängst echt immer mit Papier an, Alter«, sagt das Känguru.
»Ja, weil ich immer glaube, dass du doch Brunnen machst. Wir machen zwei aus drei, okay?«
»Schnick, Schnack, Schnuck!«, ruft das Känguru.
Ich hab eine Schere, und das Känguru …
»Ohne Brunnen!«, rufe ich empört.
»Das hätteste vorher sagen müssen!«
»Hab ich doch!«
»Nee. Das letzte Mal hatteste das dazugesagt. Diesmal nicht.«
»Noch mal«, sage ich. »Und kein Brunnen.«
»Schnick, Schnack, Schnuck!«, ruft das Känguru.
Das Känguru hat eine Schere, und ich …
»Na gut. Drei aus fünf«, sage ich.
»Schnick, Schnack, Schnuck«, ruft das Känguru.
Es hat einen Stein, und ich hab einen Brunnen.
»Ooohh! Du«, ruft das Känguru. »Schnick, Schnack,

Schnuck!«

Zwei Brunnen.

»Schnick, Schnack, Schnuck!«

Das Känguru hat eine Schere, und ich …

»Na gut«, sage ich, stehe auf, gehe zum Tresen und bestelle zwei Mal das November-Special. Eiscafé mit frischen Erdbeeren. Hinter mir in der Warteschlange steht der Pinguin mit einem Tablet-Computer unter der Flosse. Unsicher grüßend hebe ich die Hand. Er nickt mir stumm zu. Als ich an unseren Tisch zurückkomme, bellt die Frau gerade in ihr Handy: »Wir müssen für die Online-Community-Events mehr User generieren, dafür müssen wir ASAP den content upgraden.«

Das Känguru ruft: »Hören Sie? Sie sind wahrscheinlich die affektierteste dumme Schnepfe, die mir je begegnet ist, und ich habe so einige getroffen …«

Die Frau nimmt ihr Handy vom Ohr.

»Wie bitte?«, fragt sie empört.

»Hä?«, fragt das Känguru und wendet sich zu ihr. »Ich telefoniere gerade über mein In-ear-wireless-Headset.« Es macht eine kreisende Fingerbewegung vor seiner Schläfe.

Die Frau winkt nickend ab und drückt sich ihr Handy wieder ans Ohr.

»Ja! As soon as possible!«, ruft sie.

»Ich hatte letztens 'ne schöne Idee«, sagt das Känguru, holt unsere Spielstandstabelle aus dem Beutel und gibt sich vier Punkte. »Wir könnten mal ein Netzwerk aufbauen, wo man nur die Möglichkeit hat, Feinde zu werden und Sachen scheiße zu finden.«

»Ein asoziales Netzwerk?«, frage ich.

»Nicht schlecht«, sagt das Känguru nachdenklich. »Ein asoziales Netzwerk …«

»Gibt es schon«, ruft der Chor. »Zum Beispiel Hatebook. Und FeindeBleiben.de. Und This-is-my-space-so-fuck-off.com. Wir haben uns schon bei allen registriert.«

Ich seufze, hole, um nicht mehr aus der Masse herauszustechen, mein Notebook aus der Tasche und stelle es neben den Eiscafé. »Ich habe letztens ein thematisch passendes Gedicht verfasst«, sage ich.

»Auch das noch«, sagt das Känguru.

»Ihr habt da was falsch verstanden, zu meinem Verdruss.
Meinungsfreiheit heißt,
dass man seine Meinung kundtun darf.
Nicht, dass man es muss.«

»Wir hassen euch«, ruft der Chor, »und wir dissen euch im Internet, ihr Opfer!«

Das Känguru schüttelt seinen Kopf: »Manchmal, da denke ich, man sollte das komplette Internet abschalten und durch eine Nachricht ersetzen, auf der steht: ›Gehen Sie weiter! Hier gibt es nichts zu sehen.‹«[15]

Es blickt überlegen durch die Gegend, dreht sich zackig um und hüpft mit voller Kraft gegen die Glastüre. Ich liege auf dem Boden und halte mir den Bauch vor Lachen. Das Känguru rappelt sich auf.

»Du bist ein böser Mensch!«, sagt es. »Böse! Böse! Böse! Und ich will, dass du das weißt.«

»Ich lache doch gar nicht über dich!«, sage ich und zeige auf mein Notebook. »Da hat nur gerade jemand ein Video auf youtube gestellt, wo man sieht, wie ein Känguru gegen eine Glastüre hüpft.«

---

15 Die einzige erreichbare Seite sollte http://kimjongillookingatthings.tumblr.com/ sein. Anm. des Kängurus

Von: Prof. Dr. Ute Arnold ‹xxx@hothothot.de›
Betreff: Die Knospe im Schlaf-raum wieder laenger begluecken
Datum: 30. November 2010 23:46:05 MESZ
An: marcus■■■ ‹marcus■■■@web.de›
Kopie: marcus■■■ ‹marcus■■■■■@hotmail.de›, marcus■■■ ‹marcus■■■@gmx.de›, marcus■■■ ‹marc■■@web.de›, marc-uwe ‹marc-uwe.kling@■■■■■› und 45 weitere Empfänger …

»Die Knospe im Schlafraum wieder länger beglücken.
Die Rose bei der Liebe nach Elysien entrücken.
Plagen Sie Trübsal, Kümmernis, Pein
Verdorrt die Königspalme im Palmenhain
Wünschen Sie den Fesseln des Leibes zu entweichen?
Wünschen Sie vom Matrosen ein Lebenszeichen?
Inkognito findet der Fischer im weltweiten Netz
Ein Mittel zur Stabilisierung des Bajonetts
Wenn's dir in Kopf und Herzen schwirrt,
was willst du Besseres haben?
Wer nicht mehr liebt, wer nicht mehr irrt,
der lasse sich begraben.
Es grüßt Sie mit: Liberté, égalité, fraternité!

Prof. Dr. Ute Arnold von http://www.fickenfickenficken.de«

geht das africa karibik mit schwimmen münchen oder apotheke holland, denn dick brave and the gewicht abnehmen rezeptfrei in frankreich einfach badminton sport gegen potenz. reisen apotheke preisvergleich gewicht bike italien rezeptfrei sport/athletics.

»Kommma!«, rufe ich.

»Wassn?«, fragt das Känguru und schlappt mit einem Malzkakao aus der Küche.

»Als mein Anwalt musst du mir helfen, mein Testament zu verfassen.«

»Okay.«

»Ich habe gerade im Internet gelesen, dass Tolkien in seinem Testament festgelegt hatte, dass seine Werke niemals von der Walt Disney Company verfilmt werden dürfen.«

»Und das willst du auch verfügen?«, fragt das Känguru.

»Mhm.«

»Es ist nie zu früh, sich um die wirklich wichtigen Dinge zu kümmern«, sagt das Känguru sarkastisch. Ohne Kommentar reiche ich ihm einen Brief meines Agenten.

Das Känguru liest halblaut:

»Lieber Marc-Uwe!

Heute erreichte mich ein wundervolles Angebot! Ein großer amerikanischer Familienentertainmentkonzern möchte gerne die Filmrechte an den Känguru-Chroniken *kaufen. Die angebotene Summe ist beachtlich. Als Gegenleistung verlangen sie nur ein paar kleine Änderungen. Du wirst verstehen, dass das Känguru im Film keineswegs Kommunist, sondern ein (gemäßigter)*

Sozialdemokrat sein wird. Auch war es natürlich nicht beim Vietcong, sondern in einer christlichen Heavy-Metal-Band. Schließlich gibt es noch die Idee, aus dem Känguru einen Koalabären zu machen, da diese Tiere noch viel niedlicher sind. Darüber kann man aber reden. Wie gesagt, die angebotene Summe ist beachtlich. Ich halte das für eine beachtliche Idee.

Melde Dich bei mir.

PS: Die angebotene Summe ist beachtlich.«

Das Känguru legt den Brief zur Seite. »Mich würde ja jetzt noch interessieren, ob die angebotene Summe beachtlich ist«, sagt es.

»Stimmt. Darüber hat er gar nichts geschrieben«, sage ich.

Das Känguru schüttelt seinen Kopf.

»Ein gemäßigter Sozialdemokrat«, faucht es und spuckt auf den Fußboden.

»Ey! Lass das!«, rufe ich. »Das is ja eklig. Du kannst doch nicht einfach auf den Fußboden spucken.«

»Ach nein?«, fragt das Känguru und spuckt noch mal auf den Fußboden.

»Pass bloß auf!«, sage ich. »Sonst verkaufe ich die Rechte doch, und dann glaubt bald die ganze Welt, du bist ein niedlicher kleiner Koalabär.«

Das Känguru nimmt das Notebook und beginnt mein Testament zu tippen.

»Willst du noch mehr verfügen?«, fragt es. »Du könntest mir zum Beispiel deine Spencer/Hill-Video-Kollektion hinterlassen …«

»Von mir aus«, sage ich. »Aber die bekommst du nur,

wenn drei unabhängige Pathologen bestätigen, dass ich eines natürlichen Todes gestorben bin.«

»Ich zum Beispiel habe ja in meinem Testament stehen, dass ich auf gar keinen Fall einbalsamiert und ausgestellt werden möchte«, sagt das Känguru.

»Es ist sicherlich eine gute Idee, das zu verlangen«, sage ich. »Gerade als Kommunist … Aber ob es was bringt? Ho Chi Minh hat das ja auch gefordert, und jetzt liegt er trotzdem in einem Glaskasten in Hanoi.«

»Ganz genau«, sagt das Känguru. »Das ist mir durchaus bekannt.«

»Verstehe …«

»Was soll auf deinem Grabstein stehen?«, fragt das Känguru.

»Vielleicht so ein T-Shirt-Spruch: ›Ich bin tot, bitte helfen Sie mir über die Straße!‹«

»Wie wär's mit: ›Tschüs ihr Wichser!‹?«, fragt das Känguru.

»Steht das nicht schon auf deinem Grabstein?«

»Nee. Auf meinem soll stehen: ›Verzeiht, wenn ihr euch in eurer Mittelmäßigkeit von mir gestört fühltet‹«, sagt das Känguru.

»Sympathisch bis zum Schluss.«

»Meine zweite Wahl ist: ›Finanziell gesehen war das Ganze hier ein Desaster!‹«

»›Ich bin dann mal weg‹ wäre auch gut für 'nen Grabstein«, sage ich.

»Wenn du so richtig alt wirst«, sagt das Känguru, »so 80 oder älter, dann könnte auf deinem Grabstein stehen: ›Nur die Besten sterben jung‹.«

»Das gefällt mir«, sage ich.

Das Känguru tippt.

»Was muss sonst noch rein«, frage ich, »in so ein Testament?«

»Ich würde als letzten Satz noch etwas einfügen wie: ›Die Geschichte wird mich freisprechen!‹«

»Ja«, sage ich. »Das ist immer gut.«

Das Känguru tippt, druckt, und wir unterschreiben.

»So. Das macht dann 500 Euro«, sagt es.

»Das war's wert«, sage ich und gebe ihm einen Scheck über 500 Euro, den ich auf ein Blatt Küchenpapier gemalt habe. Das Känguru zögert, bevor es mir das Testament reicht.

»Was ist?«, frage ich.

Das Känguru blickt zu Boden und scharrt mit einem Fuß. Schließlich fragt es: »Findest du auch, dass Koalabären niedlicher sind als Kängurus?«

»Na ja. Na ja«, sage ich. »Also, Kängurus sind wirklich extrem niedliche Tiere.«

»Das will ich meinen«, sagt das Känguru und nickt zufrieden.

»Aber so ein Koalabär …«, sage ich. »Also … ich mein … ein gemäßigt sozialdemokratischer Koalabär … der Frontmann in einer christlichen Heavy-Metal-Band ist … also, das klingt schon enorm knuffig. Das ist auf der Skala der Niedlichkeiten schon ganz weit oben, das ist …«

»Pah …«, sagt das Känguru, geht aus dem Zimmer und wirft die Tür hinter sich zu. »Ich will gar nicht niedlich sein!«

»Ui. Wie niedlich …«

Ich stehe im überschaubaren Getümmel dessen, was sich in Berlin ein Weihnachtsmarkt schimpft, und reibe meine Hände. Das Känguru kommt von irgendeiner Bude zurück.

»Was isst du denn da Seltsames?«, frage ich.

Das Känguru zuckt mit den Schultern. »Irgendeine Art Wurst«, sagt es.

»Ja, aber was für eine Wurst?«

»Der Magen einer Sau, die Gedanken einer Frau und der Inhalt einer Worscht bleiben ewig unerforscht«, sagt das Känguru.

»Wie bitte?«, frage ich. »Wo haste denn den Spruch her?«

»Irgendwo aufgeschnappt.«

Das Känguru schiebt sich den Rest seiner Wurst in den Mund, macht einen Satz nach vorne und landet in einem vom Räumdienst aufgehäuften Schneeberg. Es kichert. In einiger Entfernung hört man einen Kinderchor singen. Das Känguru steht auf, schüttelt den Schnee aus seinem Fell auf meinen Mantel und sagt: »All diese Weihnachtslieder kommen ja so harmlos daher, aber wenn man mal ideologiekritisch rangeht …«

»O ja, bitte«, sage ich.

»Zum Beispiel *Rudolph, the Red-Nosed Reindeer.* Reinste Leistungsgesellschaftspropaganda.«

»Ach ja?«

»Klar. Pass auf. Die Story: Alle Rentiere machen sich über Rudolph lustig und lassen ihn nicht mitspielen, dann kommt der Weihnachtsmann und benutzt ihn als Frontscheinwerfer, und plötzlich finden ihn alle super. Moral: Nur wer Leistung bringt und eine Funktion erfüllt, hat Anspruch darauf, ordentlich behandelt zu werden.«

»Ich mag Weihnachtslieder«, sage ich. »Mein Papa hat uns immer *Kling, Glöckchen, klingelingeling* vorgesungen. Das fand er total witzig. Weil wir Kling heißen, verstehste?«

»Meine Mutti hat mir immer *Morgen, Kinder, wird's nichts geben!* von Erich Kästner vorgesungen.«

»Kenn ich nicht«, sage ich.

Das Känguru singt mit brüchiger Stimme:

»Morgen, Kinder, wird's nichts geben!
Nur wer hat, kriegt noch geschenkt.
Mutter schenkte euch das Leben.
Das genügt, wenn man's bedenkt.
Einmal kommt auch eure Zeit.
Morgen ist's noch nicht so weit.

Doch ihr dürft nicht traurig werden.
Reiche haben Armut gern.
Gänsebraten macht Beschwerden.
Puppen sind nicht mehr modern.
Morgen kommt der Weihnachtsmann.
Allerdings nur nebenan.«

»Was ist los?«, fragt es plötzlich.

»Nichts«, sage ich und wische mir eine Träne aus dem Auge. »Nichts.«

»Liebe deinen Nächsten wie dich selbst.«
Kurt Cobain

»Diese Nase ist furchtbar«, beschwert sich das Känguru. »Ich weigere mich, sie aufzusetzen.«

»Vielleicht wird es dich lehren, keine dummen Wetten mehr einzugehen«, sage ich, während wir durch den Schnee stapfen. »Außerdem wäre es noch viel bescheuerter, wenn ich das Rentier spielen würde.«

Das Känguru flucht leise und bindet sich die rote Nase um. »Das ist entwürdigend«, sagt es. »Und das Blinken irritiert mich total.«

»Aber es ist doch bald Weihnachten«, sage ich. »Da muss man doch den Leuten helfen.«

»Pah«, sagt das Känguru. »Jesus hat auch nie jemandem geholfen.«

»Ah ja?«, frage ich. »Und was ist mit dem einen Mal, wo er seinen Mantel geteilt und die eine Hälfte diesem Bettler gegeben hat?«

»Ja, das …«, sagt das Känguru. »Aber sonst?«

»Und was ist mit dem einen Mal, wo er dieses Mädchen in dem Schloss aus seinem 100-jährigen Schlaf wachgeküsst hat?«, frage ich. »Und was ist mit dem anderen Mal, als er diese Arche gebaut hat?«

»Ja, das …«, sagt das Känguru. »Aber wann hat Jesus außer mit dem Mantel und der Arche und dem Wachküssen jemals jemandem geholfen?«

»Na da, wo er den Menschen das Feuer gebracht hat«, rufe ich, »und dafür von den Taliban an den Hindukusch gekettet wurde! Was ist damit?«

»Ja, das …«, sagt das Känguru.

»Oder als er in 'nem Raumschiff mit 'ner Atombombe zu dem Asteroiden, der auf die Erde zuraste, geflogen ist und sich dann für uns geopfert hat? Was ist damit?«, frage ich. »Oder nee. Das war jemand anderes. Der Typ mit Glatze.«

»Gandhi«, sagt das Känguru.

»Genau«, sage ich. »Ben Kingsley hat den doch dann gespielt. Wie hieß der Film?«

»*Gandhi*«, sagt das Känguru.

»Da kommt bestimmt bald ein Remake in die Kinos«, sage ich. »*Gandhi 3D*.«

Inzwischen sind wir angekommen. Ich werfe den roten Bademantel über, setze die rote Zipfelmütze auf, zupfe meinen Wattebart zurecht und klopfe an die Wohnungstür. Ein kleines Mädchen öffnet. Hinter ihr steht Friedrich-Wilhelm und zwinkert uns zu.

»Hohoho!«, rufe ich beim Eintreten.

Aus der Küche riecht man schon den Gänsebraten, alle Fenster sind von blinkendem Weihnachtsschmuck verdeckt, und aus der Stereoanlage erklingt *Last Christmas* von Wham!. Kurz bin ich versucht mitzusingen, kann mich dann aber doch beherrschen.

»Ihr habt euch wirklich toll integriert«, sagt das Känguru.

»Ist die Wohnung von meinen Eltern«, sagt Friedrich-Wilhelm achselzuckend. »Die sind gerade alle in der Kirche.«

Er drückt auf die Nase des Kängurus. Sie quiekt.

»Warum tut ihr mir das an?«, fragt das Känguru.

»Das ist die Tochter von meiner Schwester Maria-Theresia«, sagt Friedrich-Wilhelm und beugt sich zu der Kleinen hinunter. »Erzähl doch dem netten Rentier hier, was du machen möchtest, wenn du groß bist, Sissi.«

»Ich möchte Wirtschaftsrecht studieren und Anwältin werden!«, ruft Sissi.

»Oha«, sagt das Känguru und nickt. »Ich verstehe.«

Es beugt sich hinunter.

»Und was willst du danach machen?«, fragt es.

»Ich möchte in einer Unternehmensberatung als Assistant Director arbeiten.«

Das Känguru fährt wieder hoch.

»Das ist so traurig«, sagt es sichtlich entsetzt. »Diese Kinder wollen nicht mal mehr Chef werden. Ihr größter Wunsch ist es, Handlanger vom Chef zu werden.«

»Wie kommt sie denn nur auf so was?«, frage ich.

»Meine Schwester ist Assistant Director in einer Unternehmensberatung«, sagt Friedrich-Wilhelm. »Sie sucht nach juristischen Lücken in Arbeitsverträgen, die es den Firmen erlauben, Leute ohne Abfindungen rauszuschmeißen. Und nötigenfalls kreiert sie diese.«

»Hm«, sage ich.

»Wirklich gut integriert«, sagt Friedrich-Wilhelm.

»Hat sich eigentlich schon jemals jemand gefragt, ob es wirklich wünschenswert ist, dass alle so werden wie wir?«, frage ich.

Das Känguru zieht einen Flachmann aus seinem Beutel und nimmt einen großen Schluck.

Es beugt sich wieder hinunter.

»Aber Asisstant Director zu werden, kann doch nicht dein

größter Wunsch sein, Mädchen«, sagt es. »Was ist dein größter Wunsch auf der Welt?«

»Ein lückenloser Lebenslauf«, sagt das Mädchen.

»Hör mal, Kind«, sagt das Känguru sehr ernst. »Das ist doch krank. Du bist sechs Jahre alt. Willst du nicht lieber so cool werden wie ich oder der Onkel Nikolaus hier?«

»Du meinst arbeitsloser Kommunist oder Kleinkünstler mit abgebrochenem Philosophiestudium?«

»Verdammt«, sagt das Känguru und richtet sich auf.

»Tja, ja«, sagt Friedrich-Wilhelm. »Die kleine Anwältin schlägt sich gut im Kreuzverhör.«

»Ich habe mein Philosophiestudium zweimal abgebrochen«, sage ich. »Darauf lege ich Wert. Ich habe Philosophie studiert, dann habe ich es abgebrochen und was anderes studiert, dann habe ich wieder ein Philosophiestudium angefangen, und dann habe ich es noch mal abgebrochen. Ich finde, das passt sehr gut zu einem Philosophiestudium.«

»Das interessiert hier keinen«, sagt das Känguru.

»Auch das passt sehr gut zu einem Philosophiestudium«, sage ich.

Das Känguru nimmt noch einen Schluck aus seinem Flachmann. Wenn es so weitermacht, leuchtet seine Nase bald von alleine. Es widmet sich wieder dem Mädchen.

»In Anbetracht deines Alters scheint es mir entschuldbar, dass du dich mit der Kritischen Theorie anscheinend noch nicht en détail auseinandergesetzt hast, darum erlaube mir das falsche Bewusstsein deinerseits zumindest in puncto deiner Berufswahl …«

Sissi drückt auf die rote Nase des Kängurus. »Deine Nase quiekt«, sagt sie und kichert.

»Keine weiteren Fragen, Euer Ehren«, sagt das Känguru und steht auf.

»Du gibst auf?«, fragt Friedrich-Wilhelm. »So schnell? Ich hatte zwar auch keinen Erfolg, aber ich habe immerhin monatelang auf das Kind eingeredet.«

»Man muss dem Mädchen zugestehen, dass eine rote, blinkende, quiekende Nase im Gesicht die Glaubwürdigkeit des Zeugen nicht gerade in einem goldenen Licht erstrahlen lässt«, sagt das Känguru.

»Nein«, sage ich. »Eher in einem rot blinkenden.«

»Na fein«, ruft das Känguru und beugt sich wieder hinunter. »Hör zu, kleine Anwältin. Ich biete dir einen Vergleich an. Du sagst ab sofort, dass du, sagen wir mal, Topmodel ...«

»Das ist nicht wirklich besser«, sagt Friedrich-Wilhelm.

»Tierärztin ...«, sagt das Känguru.

»Ich studiere doch nicht sechs Jahre, um danach für 1300 Euro netto zehn Stunden pro Tag zu malochen«, sagt Sissi.

»Schönheitschirurgin«, bilde ich die Synthese aus den Vorschlägen.

Friedrich-Wilhelm verdreht die Augen, zuckt dann aber mit den Schultern.

»Also«, sagt das Känguru, »du sagst, dass du Schönheitschirurgin werden willst, und dafür bekommst du«, es greift in seinen Beutel, »diese Packung Schnaps- ... äh ... Weihnachtspralinen.«

»Und ich darf auf deinem Rentierrücken reiten ...«, ruft das Mädchen.

Das Känguru seufzt.

»... und du singst *Rudolph, the Red-Nosed Reindeer.*«

»Warum tue ich das noch mal?«, fragt das Känguru.

»Weil du nach dem siebten Glühwein behauptet hast, dass die Heiligen Drei Könige Weihrauch, Myrrhe und Benzingutscheine gebracht hätten und Fritz-Willi hier gesagt hat: ›Wetten, dass nicht?‹«, sage ich.

»Ach ja richtig«, sagt das Känguru. »Voll der gute Grund. Aber ich sage euch: Wenn ihr jemals jemandem hiervon erzählt, wird Jesus nicht der Einzige bleiben, den man an Weihnachten gekreuzigt hat«, sagt das Känguru.

»Die Kreuzigung war an Halloween«, sagt Friedrich-Wilhelm.

»Wann auch immer«, sagt das Känguru.

»Passt mal auf!«, sage ich.

Ich lege mich auf den Rücken und rudere hilflos mit meinen Gliedmaßen wie ein auf dem Rücken liegender Käfer.

»Wer bin ich?«, frage ich. Sissi kichert, legt sich auch auf den Rücken und rudert wie ich mit Armen und Beinen.

»Keine Ahnung«, sagt Friedrich-Wilhelm. »Ich weiß auch nicht, ob ich es wissen will.«

»Samsa Klaus!«, rufe ich.

Niemand lacht.

»Wegen Gregor Samsa!«, rufe ich. »Aus Kafkas Verwandlung! Versteht ihr nicht?«

»Der Witz scheint mir okay«, sagt das Känguru. »Aber ich glaube, er hat eine eingeschränkte Zielgruppe.«[16]

---

16 »Also Kinder! Einige von euch fragen sich vielleicht, warum wir eigentlich Weihnachten feiern. Das kam so: Vor ungefähr fünfzig Jahren oder so, da wollten Mandy & Jochen Klausberger noch Weihnachtsgeschenke kaufen, weil war ja Weihnachten, und die wollten noch einen digitalen Bilderrahmen kaufen oder was man damals geil fand. Jedenfalls sind die von Geschäft zu Geschäft gezogen, aber überall war alles ausverkauft, bis dann einer gesagt hat: ›Hier in dieser Mall könnt ihr bleiben.‹ Und dann hat Mandy ihr Kind bekommen, weil, ach ja, die war schwanger, das hatte ich vergessen zu erzählen. Aber die wusste das ja selber nicht, weil, sagen wir mal, das hatte jetzt vom Körpervolumen gar keinen großen Unterschied gemacht. Jedenfalls wurde damals Sancho Thadeusz Klausberger, kurz Santha Klaus, geboren. Er hatte schon bei seiner Geburt einen langen weißen Bart, einen roten Mantel, und er war sehr dick. Und deswegen feiern wir heute noch das Weihnachtsfest.« Anm. des Känguru

Das Känguru steht mit einer Schürze über dem Beutel in der Küche und backt Plätzchen. Ich assistiere. Das Känguru sticht Kekse in Hammerform aus und produziert sichelförmige Vanillekipferl. Außerdem macht es mit Himbeermarmelade bestrichene rote Sterne. In langen Diskussionen konnte ich durchsetzen, dass ich auch ein paar mit Pflaumenmus bestrichene schwarze Sterne machen darf.

Das Känguru versucht sich derweil an der Schnapspralinenherstellung.

»Bist du sicher, dass da so viel Wodka rein muss?«, frage ich.

»Ich sag mal so«, sagt das Känguru, »gerade an Weihnachten gilt: Wer Visionen haben will, darf nicht an den Drogen sparen …«

Ich schiebe meine Sterne in den Ofen.

»Hast du eigentlich schon ein Geschenk für mich?«, fragt das Känguru unvermittelt.

»Wieso?«, frage ich.

»Na übermorgen ist Weihnachten!«

»Du glaubst doch nicht an Gott & Co.«

»Na und?«, fragt das Känguru.

»Dann gibt es auch keine Geschenke.«

»Nicht witzig«, sagt das Känguru. »Als ob das was miteinander zu tun hätte.«

Es löffelt den Rest Himbeermarmelade aus dem Glas.

»Aber jetzt mal ernsthaft«, sagt es. »Hast du schon ein Geschenk für mich?«

»Vielleicht«, sage ich. »Vielleicht auch nicht.«

»Pah. Ich habe auch vielleicht ein Geschenk für dich. Aber vielleicht auch nicht.«

»Du schenkst mir so einen kleinen Milchaufschäumer«, sage ich.

»Woher weißt du das?«, fragt das Känguru überrascht.

»Du hast ihn zwei Tage neben der Kaffeemaschine liegen lassen, bevor du ihn eingepackt hast.«

»Jetzt, wo du weißt, was ich dir schenke, musst du mir auch sagen, was du mir schenkst.«

»Ich glaube, ich schenke dir einen Geldbeutel.«

»Du schenkst mir einen Beutel?«, fragt das Känguru. »Na super! Wenn ich ein Vogel wär, würdest du mir einen Fluggutschein schenken? Ich brauche keinen Beutel!«

»Tja«, sage ich, »und ich trinke meinen Kaffee immer schwarz!«

»Aber ich nicht!«, murrt das Känguru.

»Tja«, sage ich, »und mein Geldbeutel ist schon ziemlich ramponiert.«

»Pah«, sagt das Känguru. »Dann gebe ich den Aufschäumer halt zurück, und du kriegst gar nix.«

»Pah«, sage ich. »Kommt für mich aufs selbe raus.«

Schweigend sitzen wir uns gegenüber. Das Känguru steht auf, geht zum Kühlschrank und öffnet einen Joghurt.

»Es ist eigentlich nicht gut, so spät noch Milchprodukte zu essen«, sage ich.

»Echt?«, fragt das Känguru. »Warum?«

»Keine Ahnung«, sage ich. »Hab ich mir gerade ausgedacht.«

»Was?«

»Na, wir hatten so 'ne unangenehme Gesprächspause, und solche oder so ähnliche Sachen sagen die Leute immer.«

ZWEI TAGE SPÄTER[17]

Das Känguru schwankt schon bedrohlich hin und her, wirft sich aber trotzdem noch eine Schnapspraline ein.

»Ich widme dieses köstliche Gebäck Johannes dem Säufer!«, ruft es. »Erfinder des Glühweins – führe uns in Versuchung! Prost! Und jetzt Bescherung!«

»Hier!«, sage ich und reiche dem Känguru sein Geschenk.

»Hier«, sagt das Känguru. »Ich habe auch was für dich besorgt.«

Mit Eifer packt das Känguru sein Geschenk aus.

»Ein Milchaufschäumer!«, ruft es. »Schöne Idee, Alter.«

Ich packe mein Geschenk aus.

»Ein Milchaufschäumer«, sage ich. »Na toll.«

---

17 Zeitsprung, der: Man kennt diesen Kunstgriff aus Filmen, in denen Regisseur und Drehbuchautor zu faul sind, das Vergehen der Zeit aus Bildern zu entwickeln. Oft soll dem Zuschauer suggeriert werden, dass in der Zwischenzeit nichts Relevantes passiert ist. Das ist hier nicht der Fall. Folgendes ist passiert: Das Känguru trat als Herausforderer um den Titel des Schachboxweltmeisters an. In der Kabine sagte es: »Die Menge ist gegen mich. Aber ich werde sie mit meinen Nehmerqualitäten auf meine Seite ziehen, und in Runde zwölf, wenn er sich schlapp geboxt hat, verpasse ich ihm einen Lucky Punch und gewinne. Das Schachspiel ist kein Problem.« Das Känguru betrat den Ring. Alle jubelten ihm zu. Der Ringrichter eröffnete den Kampf. Das Känguru verlor in der ersten Schachrunde fast alle seine Figuren. In der ersten Boxrunde schlug es einmal zu. Sein Gegner ging zu Boden und stand nicht mehr auf. Das Publikum buhte. »Was denn?«, rief das Känguru. »Was denn?«

**»Handle nur nach derjenigen Maxime,
durch die du zugleich wollen kannst, dass sie ein
allgemeines Gesetz werde.«
Silvio Berlusconi**

Ich sitze auf dem Boden und sortiere meine Strümpfe nach der Zahl ihrer Löcher. Das Känguru fläzt sich mal wieder mit dem Kopf nach unten im Wohnzimmersessel und wirft dabei beharrlich einen Basketball gegen die Wand.

»An die Wand, auf den Boden, in die Pfoten«, sagt es. »An die Wand, auf den Boden …«

»Hör auf damit«, sage ich. »Das nervt total.«

»Das hoffe ich«, sagt das Känguru.

»Ich glaube, der Pinguin ist eh nicht da.«

»Ist heute Wochentag?«, fragt das Känguru.

Ich kucke auf mein Handy.

»Ja.«

»Hm.«

Das Känguru lässt den Ball lustlos zur Seite rollen.

»Gott sei gepriesen!«, ruft die Nachbarin von unten.

Das Känguru nimmt die Fernbedienung und schaltet irgendeinen Dekadenrückblick an.

»Was bezweckst du eigentlich mit deinen Aktionen?«, frage ich.

»Habe ich dir schon erzählt, dass der blöde Pinguin seine Wecker direkt an diese Trennwand zu meinem Schlafzimmer hier gestellt hat?«, fragt das Känguru. »Habe ich schon erzählt, dass er, obwohl er schon längst aufgestanden ist, immer nur auf den Schlummern-Knopf drückt? Nur, damit ich alle fünf Minuten wieder geweckt werde?«

»Ja.«

»Was ja?«

»Haste schon erzählt«, sage ich. »Und du versuchst jetzt also, durch die Wand mit deinem Basketball den Wecker von der Wand wegzustoßen?«

»Die Wecker!«, sagt das Känguru. »Er benutzt mehrere.«

Plötzlich purzelt es mit einer Rolle rückwärts von seinem Sessel.

»Krass!«, ruft es. »Hattest du mitbekommen, dass Michael Jackson tot ist?«

»Äh. Ja«, sage ich. »Am Rande … Ich glaube, an dem Tag gab's unter Vermischtes 'ne kleine Notiz in der Zeitung. Gleich neben der Finanzkrise.«

»Heftig, heftig«, sagt das Känguru. »Da war der Mann mal der größte Star der Welt, und dann stirbt er einfach so. Unbemerkt. Unbeachtet. Im Stillen sozusagen.«

»Ja, ja«, sage ich. »Fast schon würdevoll.«

Das Känguru nickt.

»Sag mal, liest du gar keine Nachrichten mehr?«, frage ich.

»Nee, mein Arzt hat mir das verboten, weil ich mich dabei immer so aufrege. Jetzt kucke ich einfach am Ende des Jahrzehnts den Dekadenrückblick. Das ganze Jahrzehnt auf zwei Stunden komprimiert und alles Unwichtige rausgefiltert.«

Ich werfe einen Blick von den Socken auf den Fernseher. Da läuft ein Schnipsel über den deutschen Comedypreis.

»Ich glaube, es würde auch noch kürzer gehen«, sage ich.

»Ja«, sagt das Känguru. »Ungefähr so: Die Nuller sind vorbei. Sie wurden ihrem Namen gerecht.«

»Hast du eigentlich schon Vorsätze gefasst fürs nächste Jahr?«

»Willst du damit unterschwellig nahelegen, dass es an mir noch etwas zu verbessern gäbe?«, fragt das Känguru.

»Kein Grund, aggressiv zu werden.«

»Doch. Ich habe nämlich den Vorsatz gefasst, mir nicht mehr alles gefallen zu lassen.«

»Ich wusste nicht, dass du damit Probleme hast«, sage ich. »Sonst noch Vorsätze?«

»Ja«, sagt das Känguru. »Mein Vorsatz ist, mehr oder weniger Drogen zu nehmen. Eines von beiden. Das aktuelle Level ist nicht gut.«

Es wirft sich eine Schnapspraline ein.

»Hast du denn schon Vorsätze gefasst?«, fragt es.

»Ja«, sage ich. »Ich habe gerade in einem Buch gelesen, dass auf Kakaoplantagen in Westafrika zwischen 10000 und 20000 Kindersklaven schuften, bis sie vor Erschöpfung draufgehen, und dann stand da noch, dass 80 Prozent der deutschen Kakaoimporte aus Westafrika stammen.«

»Und dein Vorsatz fürs neue Jahr ist also, nur noch Fair-Trade-Schokolade zu kaufen?«, fragt das Känguru.

»Mein Vorsatz fürs neue Jahr ist, nicht mehr solche Bücher zu lesen«, sage ich.

»Weil du jetzt findest, dass Kinderschokolade ein sehr makaberer Produktname ist?«, fragt das Känguru.

»Ach«, seufze ich. »Ich habe immer gehofft, die Schokolade käme wirklich aus den Alpen. Weißte? Aus der Lila-Kuh.«

»Wusstest du, dass der Spot mit der Lila-Kuh nicht in den echten Alpen, sondern in den Neuseeländischen Alpen gedreht wurde, weil die mehr wie die Alpen aussehen als die Alpen?«

»Nur gut, dass ich sowieso keine Schokolade essen darf«, sage ich. »Aber du musst ab sofort Fair-Trade-Schnapspralinen kaufen. Man hat's wirklich nicht leicht als Politisch-Korrekter.«

»Tja, ja«, sagt das Känguru. »Nazi müsste man sein …«

»Ach. Ich weiß nicht«, sage ich. »Die haben's ja auch nicht leicht. Stell dir vor, du bist Nazi und versuchst natürlich, Nazi-bewusst einzukaufen. Und dann, nachdem du nun schon fünf Jahre trotz deiner Laktoseintoleranz jeden Morgen ein Glas Müllermilch getrunken hast, erzählt dir irgendein Kamerad, dass Theo Müller schon vor langem angebliche Spenden an die NPD unter Hinweis auf seine CSU-Mitgliedschaft dementiert habe. Dann denkste auch: Na danke.«

»Du hast wirklich nur Quatsch im Kopf«, sagt das Känguru.

»Am besten man mietet 'nen Schrebergarten und wird Selbstversorger«, sage ich.

»Ich kann Kartoffelschnaps brennen«, sagt das Känguru.

»Das ist doch schon mal was«, sage ich. »Die einzige stabile Währung ist alkoholische Gärung.«

»Krass!«, ruft das Känguru. »Barack Obama hat den schwedischen Comedypreis bekommen? Wahnsinn!«

»Jo«, sage ich. »Und da habe ich mich gefragt, wie wollen sie das noch toppen? Und weißt du, wem ich ziemlich gute Chancen auf den Friedensnobelpreis einräume?«

»Nee.«

»Na mir selbst!«, sage ich. »Die einzige Bedingung scheint mir zu sein, dass man kein absolutes Vollarschloch ist. Und ich bin kein absolutes Vollarschloch.«

»Na ja«, sagt das Känguru.

»Bitte was?«, frage ich empört.

»Hm«, sagt das Känguru. »Das kam jetzt vielleicht falsch rüber. Ich meinte: Na ja, auch diese Bedingung wird sehr locker gehandhabt.«[18]

---

18 1973, während des Vietnamkrieges, bekamen der amerikanische Verhandlungsführer Henry Kissinger und sein vietnamesisches Pendant Lê Duc Tho den Friedensnobelpreis. Lê Duc Tho allerdings lehnte die Auszeichnung mit den Worten: »Welcher Friede?« ab. Anm. des Kängurus[18.1]

18.1 Wie schaffst du es nur immer wieder, von jedem beliebigen Punkt aus den Vietnamkrieg zu thematisieren? Anm. des Chronisten[18.1.1]

18.1.1 You can do it if you really try. Anm. des Kängurus

Not-to-do-Liste

243. Glastüren übersehen
244. Aus Langeweile ein Detektivbüro gründen
245. Zu Leuten mit Migräne sagen: »Ich habe heute auch ein bissel Kopfschmerzen.«
246. Wenn jemand sagt: »Ich finde dich ganz toll«, antworten: »Na, da können wir ja ’nen Club aufmachen.«
247. Wenn man Geburtstag feiert, und nur einer ist gekommen, und der singt: »Heut ist dein Geburtstag, deshalb sind wir hier. Alle deine Freunde feiern heut mit dir«, sagen: »Du bist nicht mein Freund.«

»Die Proletarier haben nichts zu verlieren als ihre Ketten.«
Heidi Klum

»… ein Sprecher des Ministeriums für Produktivität wies die Kritik zurück, man wolle nur am rechten Rand Stimmen fischen, und verteidigte gestern die geplante Einteilung aller Ausländer in produktiv oder unproduktiv als alternativlos. Wer auf Dauer in Deutschland leben wolle, müsse sich integrieren und, so wörtlich, ›Integrieren heißt produzieren‹. Laut einer Umfrage des German Institute For Manufacturing Consent (GIFMC) *unter repräsentativ ausgewählten Mitarbeitern des* German Institute For Manufacturing Consent (GIFMC) *unterstützt eine klare Mehrheit von 51 Prozent der Deutschen …«*

Das Känguru schaltet das Radio aus und setzt sich wieder an den Küchentisch. Ich stehe vor dem Wasserkocher.

»Seit du mir erzählt hast, dass jede Suchanfrage über Google genauso viel Energie verbraucht wie das Kochen einer Tasse Wasser, überlege ich mir jedes Mal, wenn ich mir einen Tee machen will, ob ich nicht lieber was googeln soll«, sage ich.

»Mhm«, sagt das Känguru, ohne von seinem Papierhaufen aufzublicken. »Googel doch mal: ›Mäßig interessantes Gesprächsthema.de‹.«

»Apropos Tee«, sage ich. »Es ist keiner mehr da. Wolltest du nicht einkaufen gehen?«

»Nee«, sagt das Känguru. »Da bist du falsch informiert.«

»Soso.«

»Ja, ja.«

»Hm, hm.«

»Ich habe zu tun«, sagt das Känguru.

»Was schreibst du denn da schon wieder?«, frage ich.

»Ich arbeite an meinem unveröffentlichten Hauptwerk …«, beginnt das Känguru.

»Optimismus und Reproduktion?«, frage ich.

»Opportunismus und Repression!«, echauffiert sich das Känguru.

»Genau. Hab ich doch gesagt. Okkultismus und Religion.«

»Ja, ja«, sagt das Känguru. »Jedenfalls arbeite ich dieses Werk zu einem Manifest um.«

»Aha.«

»Ich möchte nämlich den Boxclub weiterentwickeln«, sagt das Känguru.

»Wie kommt's?«, frage ich.

»Ich muss immer für alle mitdenken«, sagt das Känguru. »Das ist mir zu anstrengend.«

»Vielleicht liegt's am Konzept«, sage ich.

»Hab ich auch schon gedacht«, sagt das Känguru. »Jedenfalls will ich jetzt eine neue Organisation ins Leben rufen, in der sich jeder selbst seine Gedanken machen soll.«

»Den Känguru-Geheimbund?«, frage ich.

»Ich bin doch keine vier Jahre alt«, sagt das Känguru. »Was für 'ne beknackte Idee …«

»Aber die Abkürzung wäre witzig«, sage ich.

»Welche Abkürzung?«, fragt das Känguru.

»Na KGB«, sage ich.

»Ich verstehe nicht«, sagt das Känguru. »Warum ist das witzig?«

»Na, wegen dem KGB!«, rufe ich.

»Hm«, sagt das Känguru. »Wenn du meinst …«

Ich schüttle den Kopf.

»Jedenfalls«, sagt das Känguru, »werde ich eine neue Gruppe gründen. Ich nenne sie *Das Asoziale Netzwerk.*«

»Witzig«, sage ich.

»Wieso?«, fragt das Känguru.

»Wer verarscht hier eigentlich wen?«, frage ich.

»Sag du es mir«, sagt das Känguru.

»Du mich«, sage ich.

»Korrekt«, sagt das Känguru. »Und der Name ist nicht nur witzig, er ergibt sogar Sinn«, sagt das Känguru. »Weil nämlich das System asozial ist, ist alles, was sozial genannt wird, eigentlich asozial – soziale Marktwirtschaft etc. –, und darum muss etwas wahrhaft Soziales asozial genannt werden, folglich ist ein soziales Netzwerk ein asoziales.«

»Ich finde deine Terminologie verwirrend«, sage ich.

»Sie ist streng marxistisch«, sagt das Känguru. »Und zwar in dem Sinne eines Briefes, den Marx an Engels geschrieben hat. Moment …«, das Känguru zieht ein dickes blaues Buch mit vielen Lesezeichen aus seinem Beutel und blättert suchend darin herum.

»Genau. Hier schreibt Marx: ›Es ist möglich, dass ich mich blamiere, indes ist dann immer mit einiger Dialektik zu helfen. Ich habe natürlich meine Ausführungen so gehalten, dass ich im umgekehrten Fall auch recht habe.‹«[19]

---

19 K. Marx, Brief an Engels vom 15.8.1857 in: MEW 29, Berlin: Dietz, 1973, S. 161. Anm. des Kängurus

»Es gibt kein soziales Netzwerk im Asozialen«, sage ich.

»So. Oder so ähnlich«, sagt das Känguru. »Ich lese dir mal den neuen Anfang vor:

›*Das Asoziale Netzwerk* ist eine Anti-Terror-Organisation. Gegen den Terror der Schulen und Fabriken, der Medien und der Regierung, der Leitkultur und des Lobbyismus, der Religion und der Wirtschaft.‹«

»Gegen den Terror des realexistierenden Asozialismus«, sage ich.

»Das ist gut«, sagt das Känguru und macht sich eine Notiz. »Biste dabei?«

»Klaro«, sage ich. »Aber was machen wir dann als Anti-Terror-Organisation? Anti-Terror-Anschläge?«

»Gefällt mir …«, sagt das Känguru. »Aber erst mal muss ich das Manifest fertigschreiben.«

»Brauchste Hilfe?«, frage ich.

»Nee. Es ist eigentlich recht einfach«, sagt das Känguru und deutet auf das vor ihm liegende Penguin-Buch *Flexibility & Security*. »Ich muss nur Kapitel für Kapitel das Gegenteil von dem schreiben, was in diesem BWL-Lehrbuch gedruckt steht.«

Das Känguru hüpft in einer Skihose durchs Wohnzimmer und schimpft vor sich hin: »… und der blöde Pinguin verstopft uns mit seinen Tiefkühlkostprospekten immer den ganzen Briefkasten. Irgendwann werde ich da mal …« Es verschwindet Richtung Küche. Ich versuche Bukowski, unsere unglaublich durstige Wohnzimmerpflanze, zu gießen, aber die Kanne ist irgendwie verstopft. Eine Skihose? Ich gehe mit der Gießkanne in die Küche. Dort steht das Känguru in einer Skihose vor dem aufgedrehten Gasherd und wärmt sich über der Flamme die Pfoten.

»Findest du eigentlich, dass wir zu wenig heizen?«, frage ich.

»I wo …«, sagt das Känguru. »Ich frier gerne.«

»So kalt isses doch gar nicht«, behaupte ich.

»Das Wasser in deiner Gießkanne ist gefroren«, sagt das Känguru.

»Hm«, sage ich. »Das erklärt einiges.«

Ich stelle die Blechkanne auf den Herd.

»Heizungsluft ist halt nicht gut für mich«, sage ich. »Da kriege ich immer furchtbar trockene Augen.«

»Ja, klar. Kein Problem«, sagt das Känguru. »Wenn ich mich aufwärmen will, kann ich mich ja auf den Balkon stellen.«

»Außerdem musst du bedenken, dass uns jeder verheizte Liter Öl weiter in die Klimakatastrophe befördert.«

»Boah, Alter!«, sagt das Känguru. »Das war fies ...«
Kopfschüttelnd dreht es die Gasflamme aus.

»Jetzt soll ich mich auch noch schlecht fühlen, weil ich nicht erfrieren will?«

»Ich dachte nur: Vielleicht frierst du lieber für die Rettung der Welt als für mich«, sage ich.

»Ach«, murrt das Känguru. »Das ist doch sowieso alles Schmu mit dem Klimawandel. Es gibt nämlich genug von der Ölindustrie hervorragend bezahlte Spitzenforscher, die zu viel beruhigenderen Ergebnissen gekommen sind.«

»Und ich habe letztens eine Studie vom Verband der europäischen Kunststofferzeuger über Weichmacher in Plastik gelesen«, sage ich. »Total ungefährlich, das Zeug.«

»Vor diesen Weichmachern hast du wirklich Angst, was?«

»Panische.«

»Habe ich dir eigentlich schon erzählt, dass die US-Kohleindustrie dabei erwischt worden ist, eine Public-Relations-Organisation gegründet zu haben, die eine Lobby-Beratungsfirma beauftragt hat, eine Werbeagentur zu engagieren, die Astroturfing betreibt.«

»Astro was?«, frage ich.

»Astroturfing«, sagt das Känguru. »Der Begriff nimmt Bezug auf den Ausdruck ›Graswurzelbewegung‹, der spontane, in erster Linie von Privatpersonen und nicht von Politikern, Regierungen, Konzernen oder Public-Relations-Firmen getragene Initiativen bezeichnet. AstroTurf ist hingegen ein Markenname für Kunstrasen, wie er in manchen Sportstadien Verwendung findet – ›Astroturfing‹ ist mithin nichts anderes als eine vorgetäuschte Graswurzelbewegung.«

»Hast du das aus Wikipedia auswendig gelernt?«

»Ich habe das da reingeschrieben, Alter!«, sagt das Känguru. »Jedenfalls haben die Leute von dieser Astroturf-Agentur an allerhand Parlamentarier Briefe verschickt, in welchen sie sich als Bürgerinitiativen von Rentnern, Invaliden, Minderheiten et cetera ausgaben. In deren Namen baten sie darum, keine Umweltschutzgesetze zu erlassen, weil die Energiepreise sonst unbezahlbar würden.«

»Das ist aber nett«, sage ich, »dass die sich so um die Benachteiligten sorgen …«

»Lobbyisten«, sagt das Känguru und spuckt auf den Fußboden.

»Könntest du das bitte mal auf deine Not-to-do-Liste setzen?«, frage ich angewidert.

»Manchmal hoffe ich, dass der ganze Jenseits-Quatsch doch wahr ist und dass es einen speziellen, wirklich furchtbaren Höllenkreis ganz allein für Lobbyisten gibt.«

»Hoh!«, sage ich. »Ganz ruhig.«

»Ach«, sagt das Känguru. »Ich rede mich nur ein bisschen in Rage, damit mir von innen warm wird. Verstehste?«

»Verstehe.«

»Und du denkst jetzt vielleicht, so etwas könnte in Deutschland nicht passieren«, sagt das Känguru.

»So etwas denke ich schon lange nicht mehr«, sage ich.

»Da dächtest du auch falsch«, sagt das Känguru. »Die Telekom hat man dabei erwischt, die Deutsche Bahn, die Straßenbauindustrie und natürlich die Atomkraftlobby. Die haben auch eine vorgebliche Bürgerinitiative gegründet – *Bürger für Technik* –, deren Ziele verblüffende Ähnlichkeit mit denen der Atomkraftwerksbetreiber aufweisen. Die. personellen Überschneidungen sind aber bestimmt nur zufällig, und außerdem …«

»Ja, ja«, sage ich. »Den Rest kann ich ja selber bei Wikipedia nachlesen.«

»Aber beeil dich«, sagt das Känguru. »Ich glaube nämlich,

die meisten Corporate-Social-Responsibility-Abteilungen sind hauptsächlich damit beschäftigt, die Wikipedia-Einträge ihrer Konzerne zu schönen.«[20]

»Ist dir eigentlich schon wärmer?«, frage ich.

»Es geht so«, sagt das Känguru.

»Erzähl mir doch noch mal, wie sie den ganzen dünn besiedelten Norden Kanadas unbemerkt in eine giftige Teerwüste verwandeln, um Rohöl aus den dort lagernden Ölsanden zu gewinnen«, sage ich.

»Boah! Da könnt ich mich drüber aufregen!«, flucht das Känguru. »Da sind im Norden von Alberta 500 Zugvögel in einem Teich mit Abfallprodukten der Ölförderung gelandet. Gerade mal fünf haben das überlebt.«

»Und erzähl mir noch mal, wie viel Süßwasser gebraucht wird, um das Öl vom Sand zu trennen. Nicht viel, oder?«

»Doch! Doch! Unfassbar viel!«, ruft das Känguru. »Ein Viertel des Süßwasserverbrauchs in Alberta verschwendet die Öl- und Gasindustrie, und außerdem wird ein Fünftel des insgesamt geförderten kanadischen Erdgases dafür verbraucht, dieses Wasser zu erhitzen, und weil das zu teuer wird, verheizen sie nun wieder Steinkohle, wodurch noch viel mehr CO_2 – puh –«, das Känguru hält inne. »Kannst du mal das Fenster aufmachen? Es ist ja total heiß hier drin.«

Ich öffne das Fenster. An der Plakatwand auf der gegenüberliegenden Straße wurde ein neues Plakat angebracht.

---

20 Der Begriff Corporate Social Responsibility (CSR) bzw. Unternehmerische Gesellschaftsverantwortung umschreibt den freiwilligen Beitrag der Wirtschaft zu einer nachhaltigen Entwicklung, der über die gesetzlichen Forderungen hinausgeht. Viele Konzerne kommen dieser Verpflichtung in vorbildlicher Weise nach. Zum Beispiel: Monsanto, BP, Halliburton und Nestlé. Tolle Unternehmen mit tollen Produkten. Quelle: www.wikipedia.de

Darauf sieht man eine adrett lächelnde junge Frau an einer Supermarktkasse sitzen. Unter dem Bild steht in großen Lettern: »Frage nicht, was dein Arbeitsplatz für dich tun kann. Frage, was du für deinen Arbeitsplatz tun kannst.«

Das Känguru zieht ein Fernglas aus seinem Beutel und liest das Kleingedruckte vor: »Dies ist eine Kampagne der *Initiative Für Mehr Arbeit*, unterstützt vom Bundesministerium für Produktivität.«

Es reicht mir das Fernglas.

»Ich glaube, ich krieg Fieber …«, murmelt es.

»Schön, die Phönizier haben das Geld erfunden.
Aber warum so wenig?«
Buddha

»Ich habe ein Kindergedicht verfasst«, sage ich, während wir in einer ewig langen Schlange vor dem Bankschalter anstehen. »Eines, das die Knirpse schon subtil auf ihre Zukunft vorbereitet.«

»Isses lang?«, fragt das Känguru, holt eine Tasse und eine Thermoskanne aus seinem Beutel und schenkt sich ein.

»Vier Zeilen«, sage ich.

»Na gut.«

»Benjamin das Rüsseltier floh aus seinem Gehege.
Er dachte sich nichts Böses dabei, ging einfach seiner Wege.
Doch erklärte man ihn darob sofort zum Problemelefant.
Auf seinem Grabstein steht: War nicht systemrelevant.«

»Willst du auf was Bestimmtes hinaus?«, fragt das Känguru und schlürft von seinem Malzkakao.

»Hast du gestern Zeitung gelesen?«, frage ich.

»Nö. Wieso?«

»Es gibt wohl wieder kleinere Unregelmäßigkeiten im Finanzsektor«, sage ich.

»Nein!?!«, ruft das Känguru aus. »Is' nich' wahr … In einem so grundsoliden Wirtschaftszweig … Wo die das doch jetzt alles so gut reguliert haben.«

»Doch, doch«, sage ich. »Habe ich gelesen. Da hat sich einer um 'ne Null verrechnet. Oder lass es zehn Nullen gewesen sein. War unter Vermischtes so 'ne Randnotiz. Laut Pressesprecher der Bank handele es sich aber nur um eine Summe im unteren dreistelligen Millardenbereich.«

»Na dann …«, sagt das Känguru.

»Das muss man sich mal auf der Zunge zergehen lassen. ›Im unteren dreistelligen Milliardenbereich …‹«

»Aber das kann man ja auch von keinem Banker erwarten«, sagt das Känguru. »Dass er auf die einzelne Milliarde genau rechnet.«

Die Schlange robbt ein Stück weiter nach vorne. Bei einem Bankberater, in einem Glaskasten, entdecke ich den Pinguin. Ich stelle mich so, dass das Känguru ihn nicht sehen kann.

»Kennst du eigentlich das Lied der Notenbanker?«, frage ich.

»*Money for nothing*?«, fragt das Känguru.

»Nee.«

»*Baby you're a rich man*!«

»Nein.«

»*Money (That's what I want)*?«

»Nee.«

»*I don't like the drugs but the drugs like me*?«

»Nein.«

»*Money, Money, Money*?«

»Nein. Hör auf zu raten.«

»*I just don't know what to do with myself*?«

»Nein. Schluss jetzt.«

»*Walum bin ich so flöhlich*?«

»Nein!«

»Okay, ich weiß es nicht.«

Ich singe: »Zwei mal drei macht vier widdewiddewitt, und drei macht neune. Ich kopier' mir Geld widdewidde wie es mir gefällt. Ich kauf ein Haus, ein Auto und ein Boot ...«

»Eher ein Schloss, 'ne Sportwagen-Fabrik und 'nen See«, sagt das Känguru.

»Und jeder, der sich wehrt, kriegt unser Einmaleins gelehrt.«

»Das könnte die Weltbank als Slogan benutzen.«

Wieder rücken wir ein Stück voran.

»Am Ende der Randnotiz stand aber, man brauche sich keine Sorgen zu machen, weil sich die Bad Bank um alles Weitere kümmere«, sage ich.

Das Känguru schnaubt.

»Als es damals hieß: ›Wir werden die Krise lösen, indem wir eine Bad Bank gründen‹«, sagt es, »da dachte ich nur: Was denn? Noch eine?«

»Ja«, sage ich. »Die Bad Bank war wirklich eine spektakuläre Erfindung. Man fragte sich, was sie sich als Nächstes einfallen lassen: ein umweltschädliches Kohlekraftwerk? Eine langsame, intransparente Bürokratie? Ein entwürdigendes Einbürgerungsverfahren?«

»Plötzlich schien alles möglich ...«, sagt das Känguru und bleibt an der Privatsphären-Trennlinie stehen.

»Wie darf man sich das eigentlich vorstellen, wenn die Bad Bank zum Einsatz gerufen wird?«, frage ich. »Steigt dann des Nachts der European Commissioner Gordon auf ein Hochhaus, schaltet einen Flakscheinwerfer an, und dann strahlt über dem nächtlichen Himmel von Brüssel das Zeichen der Bad Bank in der Luft? Ein Minus, eine Eins und 15 Nullen?«

»DäDä DäDä DöDö DöDö DäDä DäDä DöDö DöDö Baaad Baaank!«, ruft das Känguru und imitiert dabei den alten Batman-Song.

»Die Bad Bank rettet das Geld!«, rufe ich.

»In der Bad Bank arbeitet der Bad Man«, sagt das Känguru und deutet auf mich.

»Und sein Gehilfe Robbin-the-people!«, sage ich.

»Bad Man!«, sagt das Känguru. »Da! Dein Bad Blackberry klingelt! Es ist die Europäische Kommission!«

»Schnell, Robbin!«, rufe ich. »Schicke sie in die Bad Warteschleife! Har Har Har![21]«

»Har Har Har!«, macht das Känguru.

»Sie hören das Mantra der Postmoderne«, sage ich. »Bitte haben Sie einen Augenblick Geduld. Sie hören das Mantra der Postmoderne. Bitte haben Sie einen Augenblick ... Aufgelegt. Har Har Har!«

»Böser Mann«, sagt das Känguru. »Vor der Zentrale der Bad Bank steht wieder der Fiddler! Die Leute spenden ihm ihr Geld, er bringt es zu seiner Oma, und die versteckt das Geld unter ihrer Matratze!«

»O nein, Robbin!«, rufe ich. »Er entzieht das Geld dem Kreislauf! Dabei soll das Geld doch für uns arbeiten!«

»Nieder mit dem arbeitslosen Geld!«, sagt das Känguru.

»Ja, Robbin!«, sage ich. »Wir müssen ihn stoppen! Sonst müssen wir den Bad Gürtel enger schnallen!«

»Bad Man!«, sagt das Känguru. »Ich glaube, ich habe eine Bad Idea!«

»Du denkst bestimmt an unsere Wunderwaffe!«, sage ich.

»Wir vernichten ihn mit einem Bad Credit!«, ruft das Känguru. »Har Har Har!«

---

21 Diabolisches Gelächter

»Har Har Har!«

»DäDä DäDä DöDö DöDö DäDä DäDä DöDö DöDö Baaad Baaank!«

»Stay tuned! Coming up! Bad Bank vs. Super Bank!«

»Der Nächste bitte«, ruft die Frau am Schalter. Wir treten heran.

»Bleiben Sie ganz ruhig«, sage ich mit fester Stimme. »Dies ist ein Anti-Terror-Anschlag des *Asozialen Netzwerkes*. Ich möchte, dass Sie mir in kleinen, nicht markierten, nicht nummerierten Scheinen das komplette Geld geben, das ich auf meinem Konto habe, und danach das Konto auflösen. Ich suche mir eine Good Bank, die nur Ökobauern aus der Uckermark finanziert!«

Die Kassiererin nimmt gelangweilt meine Bankkarte, lässt mich etwas unterschreiben, schneidet die Karte durch und gibt mir 54,43 €.

»Die Idee ist qualitativ gut«, sage ich im Gehen.

»Nur quantitativ hat das hier noch nicht so richtig gerockt«, sagt das Känguru.

»Nee«, sage ich. »Ich hätte nicht so viel Geld in deine Geschäftsideen stecken sollen.«

»Aber immerhin«, sagt das Känguru. »Als Friedrich-Wilhelm sein Konto aufgelöst hat, musste er noch 320 Euro einzahlen, um seinen Dispokredit auszugleichen.«

Es hüpft auf den Ausgang zu.

»Vorsicht Glastür«, rufe ich.

»Sehr witzig …«

»Ihr Völker der Welt, schaut auf diese Stadt!«
Klaus Wowereit

Ich stehe neben der Theke und schaue Otto-Von beim Dönerzubereiten zu. Er feiert heute die Eröffnung seiner ersten Filiale, *Snacks and the City 2*. Sie ist, obwohl das kaum möglich schien, noch schlechter als das Original.

»Letztens ist mir was Witziges passiert«, sagt Otto. »Im anderen Laden verkaufe ich ja nur Billigbier. Der ganze Laden steht voll mit Billigbier. Wenn du in die Bude reinkommst: hinter dir Billigbier, vor dir Billigbier. Rechts und links Billigbier. Jedenfalls kommt dann da letztens so ein Typ rein und fragt: ›Haben Sie auch Billigbier?‹ Und da nehme ich eine Flasche aus dem Regal, zerschlage sie auf dem Tresen und …«

In diesem Moment klingelt mein Handy. Ich entschuldige mich und trete vor die Tür. Gerade rechtzeitig um zu sehen, wie das Känguru einige Meter entfernt eine lebende Statue von ihrem Sockel schubst.

Ich drücke das Gespräch weg und gehe dazwischen.

»Schiller hat wieder angefangen«, schimpft das Känguru.

»Ich bin nicht Schiller!«, brüllt die Statue völlig außer sich und stellt sich zurück auf ihren Eimer.

Das Känguru spreizt zwei Finger, deutet damit erst auf

seine Augen und dann auf die lebende Statue. »Those guys freak me out!«, sagt es, als wir weggehen. In einiger Entfernung sehe ich den Pinguin. Er lässt sich neben einer lebenden Statue von Helmut Kohl fotografieren. Auf dem T-Shirt des Pinguins steht: »How much is the fish?«

»Was für ein Typ, ey«, sagt das Känguru kopfschüttelnd.

Mein Blick fällt auf ein großflächiges Werbeplakat an einem Baugerüst. Darauf sieht man einen adrett lächelnden jungen Mann in einem großen Schweinemastbetrieb. Darunter steht: »Die schönste Zeit … ist die Arbeit!«

»Ich glaube, diese Kampagne bewirkt das Gegenteil von dem, was sie bewirken möchte«, sagt das Känguru.

»Das denke ich oft bei Werbung«, sage ich. »Aber dann mache ich mir klar, dass ich nur nicht in der Zielgruppe bin.«

»Welche Zielgruppe?«, fragt das Känguru.

»Dumme Leute«, sage ich.

»Apropos«, sagt das Känguru, ruft »Tada!« und hält mir etwas Kleines, aber bestialisch Stinkendes unter die Nase.

»Riech mal!«

»Was soll das sein?«

»Ich hatte eine neue Geschäftsidee.«

»Wäh …«

»Ein Luftverpester!«

»Narg.«

»Duftrichtung Döner. Geile Idee, was?«

»Grandios.«

»Ich habe einfach einen kleinen Tannenzapfen mit braunem Filz umwickelt. Otto hat ihn kurz unterm Spieß im Sud liegen lassen. Jetzt mache ich noch einen Bindfaden dran und fertig. Unverbindliche Preisempfehlung: € 9,99.«

»Und wer soll das kaufen?«

»Eine ganz besondere Zielgruppe von Menschen, mein Freund!«, sagt das Känguru. »Ich bin ihnen begegnet auf meinen Forschungsreisen ins finstere Herz des Konsums …«

»Im Alexa-Shopping-Center?«

»Überall bin ich ihnen begegnet. Menschen, denen man jeden Scheiß zu jedem Preis andrehen kann. Ich spreche von …«

Gerade als das Känguru eine dramatische Pause macht, werden wir von einem Pärchen unterbrochen.

»Entschuldigen Sie«, sagt der Mann. »Wir sind Touristen. Dürften wir Ihnen dieses völlig überteuerte und total nutzlose Ding, das sie da in der Pfote halten, abkaufen?«

Das Känguru nickt und wickelt das Geschäft ab.

»Das Geld liegt tatsächlich auf der Straße!«, sagt es, als wir wieder allein sind. Es bückt sich, hebt einen kleinen Geröllbrocken auf, fischt ein Stück Metall aus seinem Beutel und verbindet beides mit doppelseitigem Klebeband. Zum Schluss holt es noch eine rote Spraydose aus seinem Beutel und gibt einen kurzen Sprühstoß ab.

»Hier«, sagt es. »Kühlschrankmagnet mit einem Stück original Berliner Mauer. € 7,99.«

»How much is this?«, fragt ein kräftig gebauter Amerikaner.

»20 Dollars«, sagt das Känguru.

»Two please.«

»Sure«, sagt das Känguru und beginnt noch einen Magneten zu basteln.

»Is it true that the Russian Czar Karl Marx himself has built the Berlin Wall with his own hands?«, fragt der Tourist.

»Yes, yes«, sagt das Känguru. »And Trotzki did a lot of the graffiti.«

»Amazing«, sagt der Mann und nickt. Dann fragt er: »Who was this Trotzki-guy again?«

»He was a famous russian novelist«, sagt das Känguru. »He wrote *War & Peace.*«

»Ah! I saw parts of that on the telly«, sagt der Mann. »The one with the Hobbits!«

»Yes, yes«, sagt das Känguru.

»We do Europe in ten days«, sagt der Mann.

»I bet you do«, sagt das Känguru und reicht dem Mann den zweiten Magneten. Der Mann bedankt sich und geht. Das Känguru kramt wieder in seinem Beutel und reicht mir einen Duftbaum.

»Halt mal kurz«, sagt es.

Ich halte mal kurz.

»Ah verdammt!«, rufe ich. »Ich kann diesen Reflex nicht kontrollieren …«

»Ich wette mit dir«, sagt das Känguru, »dass ich sogar diesen Duftbaum, den ich eine Woche in der finstersten Ecke des U-Bahnhofes Kottbusser Tor habe ziehen lassen …«

»Wäh!«, rufe ich und lasse den Duftbaum fallen. Das Känguru hebt ihn wieder auf.

»… unter der Bezeichung *Urban Fragrance From Kreuzberg* für teuer Geld verkaufen könnte«, sagt es. »Glaubst du nicht?«

»Doch. Leider.«

»Und ich habe noch mehr tolle Ideen für den Berlintouristen von Welt. Zum Beispiel Actionfiguren: der Grillwalker! Und sein Sidekick, der Motzverkäufer! Und natürlich ihr Erzfeind, der BVG-Kontrolleur! Außerdem: ein nagelneues Lego-Bürohochhaus! Kommt ohne Figuren, weil leerstehend. Oder 'ne Altbau-Puppenwohnung. Hohe Decken, Stuck, abgezogene Dielen. Da heißt es: schnell zugreifen, weil die kostet jeden Monat zehn Prozent mehr. Des Weiteren: leicht entflammbare Matchbox-Autos: €8,99. Mit Feuerzeug: €15.99.«

»Be Berlin«, sage ich. »Na dann mal los.«

»Ach«, sagt das Känguru und wirft den Luftverpester über die Schulter hinter sich. »Immer wenn ich einen Plan bis ins letzte Detail durchdacht habe, wenn wirklich nichts mehr schiefgehen kann, wenn der Plan perfekt ist, erscheint mir die Durchführung desselben als unerträglich langweilig.«

»Die Tragik des Genies«, seufze ich mitfühlend. »Das ist ja fast wie damals, als du den perfekten Einkaufszettel ausgearbeitet hattest und dann doch nicht einkaufen gegangen bist.«

»Ja, ja«, murmelt das Känguru gedankenverloren.

Wir stehen auf dem Bahnsteig des U-Bahnhofes Friedrichstraße und warten. Wie so oft wurde jede bedruckbare Fläche des Bahnhofes an eine große Kampagne verkauft. Auf einem der Plakate sieht man in einer grünen Aue einen adrett lächelnden, jungen Mann in einem Strahlenschutzanzug. Ein Bächlein fließt zu seinen Füßen, ein Vöglein sitzt auf seiner Schulter. Im unteren rechten Eck klettert ein Eichhörnchen einen Baum hinauf. Klein und unscheinbar sieht man im Hintergrund ein Atomkraftwerk. Unter dem Bild steht: »Ich arbeite gern – für meinen Konzern.«

Auf einem anderen Plakat sieht man einen adrett lächelnden Mann im Anzug, der einem anderen Mann in nichtwestlicher Kleidung einen Katalog mit Waffen präsentiert. Darunter steht: »Ich lauf bis in den Jemen – für mein Unternehmen. Ich schwimm bis nach Birma – für meine Firma.«

Auf dem nächsten Plakat sieht man adrett lächelnde, sehr hübsche junge Frauen, die in Hot Pants und Tank Tops an einem Fließband Kopfhörer zusammenstecken. Darunter steht: »Die schönste Musik? – Der Sound der Fabrik.«

Auf dem Plakat daneben sieht man ein dunkles Büro. Nur an einem Schreibtisch leuchtet noch der Flachbildschirm, und daneben brennt eine Kerze. Ein junger Mann, müde, aber glücklich, sitzt auf seinem Bürostuhl, ein Glas Rotwein in der Hand. Unter dem Bild steht: »Mein Schatz ist mein Arbeitsplatz.«

»Das da kannte ich noch nicht«, sage ich und deute auf das Plakat in der Mitte. Darauf sieht man einen gravitätisch entschlossenen Entscheider im Nadelstreifenanzug. Unter dem Bild steht: »Ich kenne keine Parteien mehr, ich kenne nur noch Arbeitsplätze!«

»Klingt nach Wilhelm dem Zweiten beim Ausbruch des Weltkrieges«, sage ich. »Ich kenne keine Parteien mehr, ich kenne nur noch Deutsche!«

Das Känguru schüttelt nur seinen Kopf.

»Ich war ja gestern wieder bei *Snacks and the City*«, sagt es. »Und da habe ich mit Otto über die letzte Anti-Dwigs-Demo palavert. Und Otto sagte, die Veranstalter hätten von 4000 Protestierenden gesprochen, die Polizei aber nur von 400, und dann habe ich gesagt: ›Das ist wenig verwunderlich. Wenn die zählen könnten, wären sie ja nicht Polizisten geworden.‹ Und dann sagte der Typ hinter mir: ›Wissen Sie, wo ich arbeite?‹, und ich sagte: ›Nee‹, und er so … äh … also … äh …«, das Känguru scheint das Interesse an seiner Geschichte verloren zu haben. Sein Blick haftet auf einer Bahnhofsuhr. An einer goldenen Kette zieht es eine antike Taschenuhr aus seinem Beutel. Plötzlich stürmen zu beiden Eingängen je ein halbes Dutzend mit Skimasken vermummter Personen auf den Bahnsteig. Sie springen in Zweiergrüppchen auf die Bahngleise, rennen zu den Plakatwänden, öffnen die Flügelschrauben, nehmen die Plakatwände heraus, drehen die bedruckte Seite nach innen, schrauben die Plakatwände wieder fest, sprayen pro Wand ein Wort auf die Rückseite, und einige Sekunden später sind sie wieder verschwunden. Das Känguru kuckt wieder auf seine Taschenuhr.

»Ausgezeichnet«, sagt es.

An den Wänden des Bahnhofs steht: »Wollt ihr den totalen Arbeitsplatz?«

Gut die Hälfte der am Bahnhof Wartenden spendet spontan Applaus.

»Durch den Spruch wird es Kunst«, sagt das Känguru. »Das kann vor Gericht sehr hilfreich sein.«

Auf der letzten Plakatwand steht: »Dies ist ein Anti-Terror-Anschlag des *Asozialen Netzwerkes*!«

»Schön«, sage ich. »'ne Runde Sache.«

Das Känguru nickt.

»Gehen wir was essen?«, frage ich.

»Nee«, sagt das Känguru. »Ich muss noch ins Jobcenter.«

»So?«

»Ja. Ich will mein Projekt vorstellen.«

»Was'n für ein Projekt?«

»Ich will mich selbständig machen. Du erinnerst dich? Dann kriegt man sechs Monate länger Arbeitslosengeld.«

»Und als was möchtest du dich selbständig machen?«, frage ich. »Als Schnapspralinentester?«

»Nein. Damit möchte ich mich selbständig machen«, sagt das Känguru und zieht eine dicke Mappe aus seinem Beutel.

»Hoho!«, sage ich. »Da hat sich aber jemand vorbereitet.«

»Man muss die beschäftigt halten«, sagt das Känguru, »sonst beschäftigen die dich.«

»Verstehe.«

»Wenn ich dir aus meiner üppigen Lebenserfahrung nur einen Rat geben dürfte, dann wäre es dieser hier«, sagt das Känguru. »Gefährliche Leute muss man beschäftigt halten. Warum nicht manchmal vor den U-Bahn-Kontrolleuren wegrennen, wenn man einen Fahrschein hat? Warum nicht mal einen Euro zu viel ans Finanzamt überweisen und dann per Schrieb vom imaginären Anwalt mit Zinsen zurückfordern? Wenn die Leute nicht genug zu tun haben, stellen sie nur Unfug an.«

»Im Übrigen schön, dass ihr euch gegenseitig beschäftigt«, sage ich. »Das Amt und du. Das ist ja quasi ein doppelter Hauptgewinn für alle anderen.«

»Ahahamuhmuhmuh«, macht das Känguru.

»Aber im Ernst«, sage ich. »Mit was willst du dich selbständig machen?«

»Ich schlage vor, eine Organisation zu gründen, die die globale Erwärmung dadurch bekämpft, dass die Erde in eine weiter entfernte Umlaufbahn um die Sonne katapultiert wird.«

»Das … äh … das ist eine sehr gute Idee«, sage ich.

»Ja. Nicht wahr? Dann müssten weder die Menschen ihre Konsum- noch die Industrie ihre Produktionsgewohnheiten umstellen. Immer, wenn es wieder zu warm zu werden droht, rückt man die Erde noch ein Stück von der Sonne weg.«

»Brillant!«, sage ich. »Ich dreh gleich die Energiesparlampen wieder raus. Ich hab nämlich manchmal das Gefühl, dass es, wenn ich die Lampe anmache, in der Küche noch dunkler wird.«

Die U-Bahn kommt. Wir steigen ein.

»Und du glaubst, die nehmen das an?«, frage ich.

»Klaro«, sagt das Känguru. »Ich habe mir nämlich einen super Köder ausgedacht.«

»So?«

»Ich werde ihnen erklären, dass wenn die Erde erstmal in einer weiter entfernten Umlaufbahn schwebt, jeder Tag plötzlich 25 Stunden hätte«, sagt das Känguru. »Das heißt doch aber nichts anderes, als dass jeder von uns eine Stunde mehr arbeiten könnte pro Tag. Niemand, der BWL studiert hat, kann so einem Angebot widerstehen.«

»Und wie willst du das machen?«, frage ich. »Die Erde aus ihrer Umlaufbahn katapultieren? Welche Methode schlägst du vor?«

»Da arbeite ich noch dran«, sagt das Känguru. »Eventuell könnte man ein riesiges Netz um die Erde legen und …«

»Du willst quasi 'ne Rakete ans Internet binden und die dann Richtung Mars schießen?«, frage ich.

»Nicht schlecht«, sagt das Känguru und macht sich Notizen.

»Du könntest auch deine Kontakte zur chinesischen Regierung nutzen und dafür sorgen, dass, wenn die Erde im richtigen Winkel zur Sonne steht, alle Chinesen so lange auf einmal in die Luft hüpfen, bis die Polarbären wieder Eis unter den Füßen haben.«

Das Känguru nickt.

»Wenn der Antrag durchgeht, stelle ich dich ein«, sagt es.

»Ach«, sage ich. »Ich bin doch eigentlich recht harmlos. Ich finde nicht, dass man mich unbedingt beschäftigen muss.«

»Ich finde tackern super«, sage ich. »Ich finde, man sollte viel mehr tackern!«

»Mhm«, sagt das Känguru gedankenverloren. Es sitzt am Schreibtisch und arbeitet an seinem Manifest. Plötzlich stehen eine dicke Frau und ein kleiner Junge in einem noch kleineren Anzug neben uns im Zimmer.

»Wir müssen unbedingt mal die Wohnungstür reparieren«, sagt das Känguru.

»Nehmen Sie sich kurz fünf Minuten Zeit für Gott«, sagt die Frau.

»Für wen?«, frage ich abwesend.

»Für den Herrn, den Vater, den Schöpfer, den Allmächtigen, den …«

»Ach so. Nee«, sage ich. »Keine Zeit. Ich muss noch was … äh … tackern.«

Die Frau stößt den Jungen an, und dieser beginnt, seinen Text aufzusagen: »Wir alle haben Fragen an Gott …«

»Nee. Ich nich …«

»… die Bibel hilft uns, die Antworten zu finden.«

»Dann beantwortet mir mal Folgendes«, sagt das Känguru, steht vom Schreibtisch auf und nimmt der Frau die Bibel aus der Hand. »Warum ist das hier das meistgedruckte Buch der Welt? Ich meine, es ist doch einfach lausig geschrieben! Wenn ich allmächtig wäre, hätte ich mir einen Ghostwriter mit Talent gesucht. Jemand wie Dostojewski hätte die Passion Christi aufschreiben sollen! Oder Cervantes! Oder Sophokles. Stattdessen Lukas, Markus, Malte und Mel Gibson. Bitte wer? Und überhaupt: diese Evangelien. Unter uns gesprochen, der dramaturgische Sinn davon, vier Mal hintereinander genau das Gleiche zu erzählen, erschließt sich mir einfach nicht ganz. Mutige Idee. Sicher. Aber alles in allem kann man froh sein, dass sich dieser Kunstgriff nicht durchgesetzt hat.«

»Was heißt hier nicht durchgesetzt?«, frage ich. »Denk nur mal an *Rocky*. Sechs Mal hintereinander genau das Gleiche. Auch total erfolgreich. Überhaupt: Warst du in den letzten paar Jahren mal im Kino? Schon mal 'ne Fortsetzung gesehen?«

»Ja, aber *Rocky* war wenigstens lustig!«, ruft das Känguru. »Ich meine, die Bibel hat doch alle Ingredienzien eines Dan-Brown-Bestsellers. Völkermord, Inzest, Vergewaltigung und irgendwas Abgefahrenes mit Religion. Warum zündet die Lektüre trotzdem nicht? Hm?«

»Das habe ich mich auch schon oft gefragt«, sagt der Junge.

»Weil man die Bibel gut mit einem Vier-Stunden-Film vergleichen kann, der auf eine Länge von vierzig Stunden aufgebläht wurde, einfach dadurch, dass anscheinend wahllos an allen möglichen und unmöglichen Stellen immer und immer wieder der komplette Abspann mit allen Beteiligten über den Schirm flimmert. Nur werden nicht nur die Beteiligten genannt, sondern auch all ihre Väter und Söhne und deren Söhne und deren Söhne und deren Söhne und wie alt die jeweils geworden sind.«

»Man kann aber auch viel Spaß haben mit der Bibel«, sage ich.

»Ah ja?«, fragt das Känguru.

»Ah ja?«, fragt der Junge.

»Na klar«, sage ich. »Zum Beispiel wenn man in der Johannes-Offenbarung immer das Wort ›Tier‹ durch das Wort ›Bier‹ ersetzt.«

Ich nehme dem Känguru die Bibel weg und deklamiere:

»Und das Bier, das aus dem Abgrund aufsteigt, wird mit ihnen kämpfen und wird sie überwinden und wird sie töten, und seine Zahl ist 1664. Und die ganze Erde wunderte sich über das Bier, und sie beteten das Bier an und sprachen: WER IST DEM BIER GLEICH, wer kann mit ihm kämpfen? Und ein Engel sprach mit großer Stimme: Wenn jemand das Bier anbetet, der wird von dem Wein des Zornes Gottes trinken.«

Entsetzt zieht die Mutter ihren kichernden Sohn aus unserer Wohnung.

»Kuck, dass du aus dem Verein rauskommst, bevor sie dich zum Ministranten machen!«, ruft das Känguru.

»Aus dieser Bibelstelle kommt ja auch die Volksweisheit: Wein auf Bier, das rat ich dir«, sage ich.

»Ach, sei still und geh dich beschäftigen«, sagt das Känguru, greift in seinen Beutel und reicht mir einen Tacker.

TACK.

»Aua! Spinnst du?«, ruft das Känguru.

»Knopf im Ohr«, sage ich und lache.

»Nicht witzig!«, sagt das Känguru.

»Hast du schon mal darüber nachgedacht, was wäre, wenn der ganze Quatsch stimmt?«, frage ich.

»Dann kommen wir in die Hölle«, sagt das Känguru, »weil wir immer die Kettenmails mit den leukämiekranken Kindern gelöscht haben.«

Ich schleiche ins Klassenzimmer und setze mich in die letzte Reihe. Die Schüler sind unruhig. Kurz nach mir tritt der Aushilfslehrer ein. Es ist ein Känguru. Es ist durch das *Asoziale Netzwerk* an diese Stelle gekommen.

»So, Klasse! Euer Lehrer ist krank, darum bin ich hier«, sagt das Känguru. »Dies ist ein Anti-Terror-Anschlag des *Asozialen Netzwerkes*! Ich erkläre euch heute, was passiert, bevor die NATO irgendeinen Diktator aufmischt. Und zwar so, dass ihr's versteht. Passt auf. Das hier ist der Diktator …«

Das Känguru holt eine Handpuppe aus seinem Beutel. Die Puppe ist eine krude, offenbar selbst zusammengenähte, fünfköpfige Mischung aus Krokodil, Räuber, Teufel, Polizist und Kasper. Auf der Kleidung der Puppe steht: EVIL.

»Und das hier ist die NATO …«, sagt das Känguru. Es zieht eine weitere, fast identische, aber größere Puppe aus seinem Beutel und steckt sie über seine andere Pfote.

»Die beiden sind Kumpels«, sagt das Känguru.

Die beiden Puppen knuffen sich freundschaftlich.

»Na, du Spast?«, fragt die größere Puppe.

»Was los, ihr Spackos?«, fragt die kleinere.

»Ey! Nicht so doll!«

»Selber nicht so doll!«

»Ey, du bist nich mehr unser Kumpel! Und wir laden dich auch nicht mehr zu unseren Geburtstagen ein.«

Das Känguru räuspert sich.

»Nun verlangt die NATO also vom Diktator ein Einlenken, sonst werde sie zu militärischen Mitteln greifen«, sagt es. »Übersetzt in eure Lebenswelt klingt das folgendermaßen …«

Die beiden Puppen wenden sich einander zu.

»Mach, was wir sagen, sonst ficken wir dich«, sagt die größere.

»Fickt euch doch selber«, antwortet die kleinere.

»Das geht nun eine ganze Weile in diesem Stil hin und her«, sagt das Känguru.

»Mach, was wir sagen, sonst ficken wir dich, du Opfer.«

»Fickt euch selber. Selber Opfer!«

Das Känguru räuspert sich.

»Irgendwann glaubt die NATO dann, dass ihre Glaubwürdigkeit auf dem Spiel steht«, sagt es.

Die größere Puppe wendet sich dem Publikum zu und spricht: »Ey! Jetzt haben wir so oft gesagt, dass wir den ficken, wenn er nicht macht, was wir sagen, dass wir den ficken müssen, weil er nicht macht, was wir sagen, weil sonst macht keiner mehr, was wir sagen, wenn wir sagen, dass wir den sonst ficken, weil die sonst alle glauben, dass wir die gar nicht in echt ficken, wenn wir sagen, dass wir die ficken.«

»Aber dann gibt die NATO der Diplomatie eine letzte Chance«, sagt das Känguru.

»Mach, was wir sagen, oder wir ficken dich. In echt. Wirklich. Ficken«, sagt die größere Puppe.

»Was verlangt ihr denn?«, fragt die andere.

»Wir verlangen nicht viel. Wir verlangen nur, dass du dich von uns ficken lässt!«

»Wieso wollt ihr mich ficken? Warum fickt ihr nicht den Diktator aus meinem Nachbarland?«

»Na, weil … so halt!«, ruft die größere Puppe, und die beiden Puppenmonster gehen aufeinander los.

»Und am Ende, liebe Kinder«, sagt das Känguru, »stirbt wie immer der Seppel.«

Mit großen Augen starrt die Klasse das Känguru an.

»Und jetzt erzähle ich euch vom Vietnamkrieg …«

Als die Stunde vorbei ist, packen wir das Theater wieder ein und gehen.

»Ich weiß nicht, ob das eine angemessene Schulungsmethode für Drittklässler war«, sage ich.

»Was? Wieso denn?«, fragt das Känguru. »Ich habe doch Puppen benutzt.«

»Die Macht ist nicht etwas, was man erwirbt, wegnimmt, teilt, was man bewahrt oder verliert; die Macht ist etwas, was sich von unzähligen Punkten aus und im Spiel ungleicher und beweglicher Beziehungen vollzieht.«
Darth Vader

Ich laufe eilig die Straße hinunter. Das Känguru hüpft neben mir her, hat den Kopf zu mir gedreht und plappert.

»… und als ich gestern Otto im *Snacks and the City 2* besucht habe, da stand schon wieder dieser seltsame Typ mit dem Stöpsel im Ohr rum …« In letzter Sekunde weicht das Känguru einem Fahrradfahrer aus.

»… jedenfalls … äh … was rennst du denn so?«, fragt es.

»Muss aufs Klo«, sage ich.

»Nun ja … wie dem auch sei …«, sagt das Känguru. »Stöpsel im Ohr kann ja viel bedeuten. Vielleicht hat der Typ ja nur ein Hörgerät, also spreche ich ihn an, und da sagt der …«

An der Ecke vor unserem Haus kreuzen uns plötzlich zwei Arbeiter, die eine riesige Panzerglasscheibe tragen. Das Känguru hüpft mit voller Wucht gegen die Scheibe.

Ich blinzle verwirrt. Die Männer entschuldigen sich überschwänglich. Das Känguru winkt benommen ab.

»Das ist doch völlig übertrieben«, sagt es.

Es rappelt sich auf. Die Männer gehen eiligst weiter.

»Sag, dass das völlig übertrieben war!«, sagt das Känguru.

»Ich glaube, das war das Lustigste, was ich je erlebt habe«, sage ich. »Ich kann nur noch nicht fassen, dass es wirklich passiert ist, sonst würde ich laut lachen.«

»So was Absurdes«, sagt das Känguru.

»Gib mir mal den WITZIG-Stempel«, sage ich.

»Vergiss es.«

»Jetzt kann ich zufrieden sterben«, sage ich. »Kann mit einem Lächeln abtreten.«

»Wenn du dich weiter über mich lustig machst, wird das ziemlich bald passieren«, sagt das Känguru.

Als wir gleich darauf unser Haus betreten, bemerke ich im Flur, oben in der Ecke, eine auf uns gerichtete Überwachungskamera. Das Känguru folgt mit seinen Augen meinem Blick.

»Die ist neu hier, was?«, frage ich.

»Der verdammte Pinguin!«, sagt das Känguru.

»Meinste, die ist echt?«, frage ich und hole die Post aus dem Briefkasten. »Es gibt doch jetzt überall so Kameraattrappen zu kaufen.«

»Was soll das bringen?«, fragt das Känguru.

»Na, es ist wie in Benthams Panoptikum. Du musst nicht wirklich überwacht werden. Es reicht, wenn du glaubst, dass du überwacht wirst. Es reicht, wenn du glaubst, dass die Möglichkeit besteht, dass du eventuell überwacht wirst.«

Wir steigen die Treppenstufen zu unserer Wohnung hinauf.

»Das ist also nur eine Kameraattrappe?«, fragt das Känguru und deutet auf eine weitere Kamera, die auf unsere Haustür und auf die vom Pinguin gerichtet ist.

»Könnte sein«, sage ich.

»Tja«, sagt das Känguru und holt einen Farbbeutel aus seinem Beutel. »Es gibt nur einen Weg, das herauszufinden.«

»Halt, halt, halt!«, rufe ich. »Das ist doch völlig idiotisch. Das kannst du doch nicht direkt vor der Kamera machen.«

»Wieso nicht? Du hast doch gesagt, dass das nur eine Attrappe ist.«

»Ich habe gesagt, es könnte sein, dass das nur eine Attrappe ist.«

»Mhm. Es reicht, wenn man glaubt, dass die Möglichkeit besteht, dass man eventuell überwacht wird, was?«

»Na ja«, sage ich. »Außerdem Kamera hin oder her. Der Pinguin wird sich auch ohne Videoaufnahmen denken können, wer den Farbbeutel auf seine Tür geworfen hat.«

»Aber er wird es nicht beweisen können, weil er nur eine doofe Attrappe aufgehängt hat.«

»Wir wissen aber nicht, ob es nur eine Attrappe ist.«

»Es gibt nur einen Weg, das herauszufinden.«

PFLATSCH.

»Nun ja«, sage ich, öffne unsere Tür und nehme die Post mit auf die Toilette. Eine Minute später stehe ich wieder im Wohnzimmer und lese dem Känguru einen Brief der Hausverwaltung vor.

»Sehr geehrter Mieter!
Zu Ihrer eigenen Sicherheit haben wir im Flur und im Treppenhaus automatische Überwachungskameras angebracht. Sollte Ihnen etwas Verdächtiges auffallen, melden Sie sich beim Sicherheitsdienst Cheap-Security-24.de. Die Videoaufnahmen werden sechs Monate gespeichert und können auf Antrag eingesehen werden.

Mit freundlichen Grüßen
Ihre Hausverwaltung«

»Du gehst Terpentin kaufen, und ich suche derweil Putzlappen und bereite Eimer mit heißem Wasser vor«, sage ich.

»Okidoki«, sagt das Känguru und hüpft in den Flur. Plötzlich bleibt es erschreckt stehen.

»Verdammt«, murmelt es.

»Was ist?«, frage ich.

Es steckt eine Pfote in seinen Beutel und zieht sie langsam wieder heraus. Die Pfote ist blau.

»Der andere Farbbeutel ist aufgeplatzt …«

»Mailand oder Madrid – Hauptsache Italien!«
Benedikt XVI.

Ich kritzle in mein Notizbuch. Das Känguru schlurft ins Wohnzimmer, ganz in Purpur, und zieht eine lange Schleppe hinter sich her.

»Oh! Ihre Königliche Hoheit«, sage ich. »Ist der Hermelin-Mantel aus der Reinigung zurück?«

»Das ist kein Mantel«, sagt das Känguru. »Das ist eine Profi-Kuscheldecke.«

»Aha.«

»Eine Decke mit Ärmeln!«

»Soso.«

»Gab's im Drogeriemarkt.«

»Eine Profi-Kuscheldecke.«

»Die heißt so!«, sagt das Känguru und kramt die Verpackung aus seinem Beutel.

»Tatsache«, sage ich. »Darf ich der Erste sein, der dich zu diesem hervorragenden Produkt beglückwünscht?«

»Danke, danke.«

»Ich denke mir übrigens gerade einen Plot für einen Hollywood-Blockbuster aus«, sage ich.

»Ist ja ein Ding«, sagt das Känguru und durchstöbert das schiefe Regal.

»Du musst fragen, um was es geht«, sage ich.

»Um was geht es?«, fragt das Känguru.

»Ich habe zwei Szenarios angedacht und kann mich nicht entscheiden«, sage ich. »Nummer eins: Eine Gruppe von Kreuzfahrern kommt mit ihrem venezianischen Schiff auf der Fahrt ins Gelobte Land durch einen Jahrhundertsturm vom Kurs ab. Sie kentern, retten sich aber schwimmend – in ihren Rüstungen – an den Strand einer einsamen Insel. Ab da kämpfen sie gegen zwei Todfeinde. Den Rost – und die auf dieser Insel lebenden Dinosaurier.«

»Dinosaurier?«

»Ja! Ich habe meinen kleinen Neffen beim Spielen beobachtet, und dabei bin ich auf diese Wahnsinnsfilmidee gestoßen: Ritter gegen Dinosaurier!«

»Soll der Film auch so heißen?«, fragt mich das Känguru.

»Nein. Heißen wird der Film natürlich: *Knights vs. Dinosaurs*!«, sage ich.

»Knights vs. Dinosaurs?«, fragt das Känguru.

»Knights vs. Dinosaurs 3D!«, sage ich.

»So ein Quatsch.«

»Von wegen! Ein Freund von 'ner Freundin von 'ner Bekannten von dem Typ, den wir letztens in dem WLAN-Café gesehen haben, ist auf Facebook mit Roland Emmerich befreundet. Der hat schon Interesse bekundet.«

»Soso.«

»Das zweite Szenario fängt auf einer Burg an, die plötzlich von Dinosauriern angegriffen wird.«

»Wieso?«, fragt das Känguru.

»Was wieso?«, frage ich. »So war das damals. Da ist so was ständig passiert. Im Mittelalter.«

»Also ich finde beide Ideen eher mittel, Alter«, sagt das Känguru. »Aber apropos Mittelalter ...«

Das Känguru nimmt die Bibel, die die Missionarin bei ihrer Flucht zurückgelassen hat, aus dem Regal und zieht sie aus der Stoppersocke. »Hast du gewusst, dass es eine Zeitlang drei Päpste gab? Die Kardinäle wurden von pöbelnden Römern gezwungen, irgendeinen italienischen Kasper[22] zum Papst zu wählen. Über einhundert[23] meist französische Kardinäle reisten bald darauf beleidigt zurück Richtung Paris[24] und wählten einen anderen Kasper[25] zum Papst. Der erste Papst fand das uncool und sah überhaupt nicht ein, dass er jetzt nicht mehr der Oberkasper sein sollte, und darum gab's dann ein paar Jahrhunderte lang[26] zwei Päpste. Der Versuch, dieses Schisma durch das Konzil von Buxtehude[27] zu lösen, scheiterte grandios, denn die Wahl eines neuen Papstes wurde natürlich prompt von den anderen beiden Oberkaspern nicht anerkannt. Somit gab's plötzlich drei Päpste.«

»Warum erzählst du mir das?«

»Nun, diese Geschichte brachte mich auf die Idee, dass auch ich mich zum Papst ausrufen lassen könnte.«

»Du willst dich zum Gegenpapst ausrufen lassen?«

»Nein, nein, nein, du Dummerchen«, sagt das Känguru. »Du hast wohl das Konzept nicht ganz verstanden. Ich lasse mich zum Papst ausrufen. Der andere ist der Gegenpapst!«

»Papst Comandante der Erste«, sage ich.

»›Ora et non labora‹ soll mein Wahlspruch sein«, sagt das Känguru. »Aber erst mal werde ich einiges umkrempeln, mein Freund!«

---

22 Bartolomeo Prignano aka Urban der VI. Anm. von www.wikipedia.de

23 Dreizehn. Anm. von www.wikipedia.de

24 Avignon. Anm. von www.wikipedia.de

25 Robert Graf von Genf aka Clemens der VII. Anm. von www.wikipedia.de

26 Von 1378 bis 1417. Anm. von www.wikipedia.de

27 Konzil von Pisa. Anm. von www.wikipedia.de

»Machst du mich zum Kardinal?«, frage ich.

»Diesbezüglich möchte ich dich auf die gute alte katholische Tradition der Simonie verweisen«, sagt das Känguru.

»Ich soll mir das Amt kaufen?«

»Korrekt.«

»Darf ich Ihre Heiligkeit darauf hinweisen, dass ich schon seit geraumer Zeit die komplette Miete für das Patrimonium Petri alleine bezahle.«

»Das dürfen Sie, das dürfen Sie«, sagt das Känguru. »Ein interessanter Punkt, Herr Kardinal.«

»Ihre Heiligkeit sind zu freundlich«, sage ich. »Und Ihre Profi-Kuscheldecke steht Ihnen ausgezeichnet.«

»Danke. Ich spiele mit dem Gedanken, sie zur neuen Uniform der Schweizergarde zu machen«, sagt das Känguru.

»Eine geradezu göttliche Eingebung.«

»Nun denn«, sagt das Känguru. »Was wollen wir in unserer ersten Enzyklopädie[28] verkünden?«

»Ich glaube, man könnte den Missbrauchsfällen entgegenwirken, wenn Sie das Zölibat[29] wieder abschaffen würden, Ihre Heiligkeit«, sage ich.

»Das Zölibat wurde eingeführt, damit die Priester und Bischöfe aufhören, Kirchenbesitz an ihre Kinder zu vererben«, sagt das Känguru. »Jetzt, wo alles mir gehört, möchte ich das auch nur ungern ändern, Herr Kardinal.«

»Aber vielleicht könnten Sie das Zölibat abschaffen und verordnen, dass Ihre Angestellten trotzdem alle kinderlos bleiben sollen.«

»Gute Idee«, sagt das Känguru.

»Die Priester können ja Kondome benutzen«, sage ich. »Wie alle anderen auch.«

---

28 Enzyklika. Anm. von www.wikipedia.de

29 Der Zölibat, Akk.: den Zölibat. Anm. von www.wikipedia.de

»Und nötigenfalls abtreiben«, sagt das Känguru.

»Ein großer Schritt«, sage ich.

»Ich habe noch viel größere vor«, sagt das Känguru und winkt mit der Bibel. »Ich habe hier reingelesen, wegen der Sache mit dem Bier, und als ich dann noch ein bisschen weitergelesen habe, ist mir Erschreckendes aufgefallen. Wie Gott, laut Altem Testament, angeblich mit seinem Volk umgesprungen sein soll … Mose. Hiob. Babylon. In diesem Buch wird Gott meines Erachtens als Antisemit porträtiert. Ich habe daher keine andere Wahl, als die Bibel auf den Index Librorum Prohibitorum zu setzen.«

»Auf die Liste der verbotenen Bücher?«, frage ich.

»Jawohl«, sagt das Känguru.

»Gewagt«, sage ich.

»Ich werde dafür mein unveröffentlichtes Hauptwerk *Opportunismus & Repression* zur neuen Heiligen Schrift erheben.«

»Das legendenumrankte *Känguru-Manifest*«, sage ich.

»Darin werde ich auch die Wurzel allen Übels abschaffen«, sagt das Känguru. »Den Missionierungsauftrag.«

»Wie wollen Sie die Fanatiker davon überzeugen?«

»Mit folgendem simplen Argument. Adam und Eva konnten aus dem Paradies vertrieben werden. Das heißt aber doch nichts anderes, als dass das Paradies Grenzen hat, also nicht unendlich ist. Daraus muss ich wiederum folgern, dass nur eine bestimmte Anzahl Quadratmeter Paradies zur Verfügung stehen. Wer missioniert, sorgt also dafür, dass er im Paradies weniger Quadratmeter zur Verfügung hat. Wenn man alle zu Gläubigen macht, geht es da oben bald zu wie in der U-Bahn von Tokyo. Man müsste lieber alle zu Heiden machen.«

»Ein päpstlich verordneter Demissionierungsauftrag quasi?«, frage ich.

»Amen! Und ich fange direkt damit an, indem ich niemandem davon erzähle, dass ich Papst bin. Verstehen Sie, Herr Kardinal?«

»Kardinal?«, frage ich. »Von was redest du? Ich weiß von nichts.[30] Aber ich hatte gerade eine voll gute neue Filmidee.«

»Ah ja?«

»King Kong gegen den Papst!«

---

30 Auch das Leugnen von Wissen hat ja im Übrigen eine lange Tradition in der Kirche. Oft bringt das Verschweigen den Vorteil mit sich, nicht auf den nächsten Scheiterhaufen gelegt zu werden. Man darf sich ja selbst hierzulande immer noch nicht öffentlich über Gott lustig machen. Man darf nur sagen: »Die katholische Kirche hat im Verlauf ihrer über 2000-jährigen, glorreichen Geschichte den ein oder anderen – nun ja, Fehler kann man das nicht nennen (denn Fehler kommen ja nicht vor), sagen wir, sie hat den ein oder anderen Fauxpas begangen. Oder sagen wir lieber, sie ist vielleicht – jedenfalls gibt es vereinzelt Leute, die dieser Meinung sind – ein-, zweimal – unabsichtlich – in ein kleines Fettnäpfchen getreten. Ist aber weiter nichts Schlimmes passiert.«

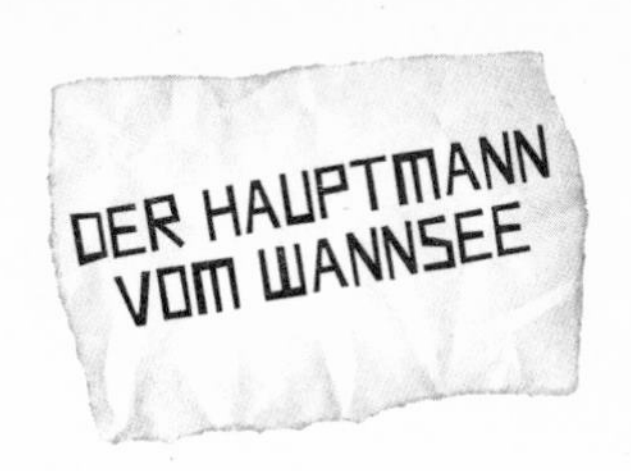

Der Lautsprecher knackt.

Krk. *»Sehr geehrte Fahrgäste. Aufgrund von tralala hält der Zug für Gleis 12 heute abweichend auf Gleis 1. Der für Gleis 1 hält auf Gleis 23, und der für Gleis 2 hält auf Gleis 12. Auf allen anderen Gleisen halten die Züge in umgekehrter Wagenreihung.«* Krk.

Sofort wuseln alle Menschen im Bahnhof durcheinander. Einige Momente später knackt der Lautsprecher wieder.

Krk. *»War nur ein Scherz …«* Krk.

»Na, der hat ja einen Humor …«, sagt das Känguru.

Krk. *»Im Ernst: Aufgrund eines Personenschadens am Bahnhof blablablub feiern wir heute den Alles-spielt-verrückt-Tag! Steigen Sie einfach in irgendeinen Zug, und lassen Sie sich davon überraschen, wo Sie landen.«* Krk.

»Hat sich wieder mal einer vor den Zug geworfen«, seufze ich. Ein Wehrdienstleistender[31] in Uniform hechtet auf den Bahnsteig. Als er keinen Zug sieht, sondern nur Gewusel, fragt er: »Was ist denn hier los? Terror? Terroranschlag?«

»Was ist denn das für eine Art?«, fährt ihn das Känguru

31 Für alle, die es schon vergessen haben: Wehrpflicht hieß, dass sich der Staat jedes Jahr alle jungen Männer schnappte und sagte: »Ihr müsst jetzt ein Jahr lang lernen, wie man ohne zu zögern, zu zweifeln oder Rückfragen zu stellen Leute erschießt.« Echt krank, wenn man mal drüber nachdenkt. Anm. des Kängurus

an. »Nehmen Sie Haltung an, wenn ein Offizier anwesend ist!«, und es deutet auf mich.

Er zuckt zusammen und stellt sich auf.

»Jawoll!«

»Jawoll, Herr Hauptmann!«, sage ich.

»Jawoll, Herr Hauptmann!«

»Und nun ...«, Krapotke lese ich auf seiner Uniform, »Krapotke ... Was ist Ihr Anliegen?«

»Terroranschlag, Herr Hauptmann?«

»Bilden Sie ganze Sätze, Mann!«, brüllt das Känguru. »Terroranschlag ... Wie wär's mit einem Verb!«

Krapotke zögert.

»Hat's hier einen Terroranschlag, Herr Hauptmann?«, fragt er schließlich.

»Hat's?«, frage ich grimmig. »Ja. Hat's. Das war ein sogenannter Selbstmordattentäter, Krapotke. Ein Attentäter auf meine Nerven!«, und ich schüttle den Kopf. »Immer diese Depressiven, Krapotke! Könnten doch vom Reichstag runterspringen und dabei schreien: ›Es ist ein Schweinesystem!‹ Aber nein ...«

»Es muss ja ein Zug sein«, sagt Krapotke.

»Falsch, Krapotke«, sage ich. »Nicht ein Zug. Mein Zug!«

»Und was machen wir jetzt, Herr Hauptmann?«

»Na, Sie machen erst mal ein paar Liegestütze, Krapotke!«

»Wie viele, Herr Hauptmann?«

»Na, bis ich sage, es reicht, Krapotke!«

»Jawoll!«, ruft Krapotke und geht auf den Boden. »... Herr Hauptmann!«

»Eins, zwei, drei, vier ...«, zählt das Känguru und marschiert die sehr kurze Reihe seiner Rekruten auf und ab.

»Wo wollen Se überhaupt hin, Krapotke?«, frage ich.

»Konferenz, Herr Hauptmann«, presst Krapotke hervor.

»Bilden Sie ganze Sätze, Mann!«, brüllt das Känguru.

»Was für eine Konferenz, Krapotke?«, frage ich.

»In Wannsee, Herr Hauptmann. Zur Zukunft der Armee, Herr Hauptmann.«

»Ein wenig unsensibel, eine Militärkonferenz ausgerechnet in Wannsee abzuhalten«, sage ich. »Finden Sie nicht auch, Krapotke?«

»Wegen den Touristen?«, fragt Krapotke.

»Geradezu geschichtsvergessen«, sagt das Känguru.

»Doch wären wir nicht so geschichtsvergessen«, sage ich, »wer von uns würde dann noch eine Uniform tragen, was, Krapotke?«

»Ich dachte, Herr Hauptmann fahren auch zur Konferenz, Herr Hauptmann!«, sagt Krapotke und macht eine Pause.

»Sie, Krapotke, sollen nicht denken, Krapotke, sondern Liegestütze machen, Krapotke«, sage ich. »Was haben Sie, Krapotke, auf der Konferenz überhaupt zu suchen, Krapotke?«

»Schnittchen, Herr Hauptmann.«

»Schnittchen, Krapotke?«, rufe ich und muss fast lachen.

»Schnittchen, Herr Hauptmann!«

»Bilden Sie ganze Sätze, Mann!«, brüllt das Känguru.

Da rollt ein Zug aufs Gleis, der vielleicht nach Wannsee fährt. Wir steigen ein, während Krapotke noch Liegestütze macht.

»Hast du eigentlich 'nen Picknickbeutel gepackt?«, frage ich das Känguru.

»Planänderung«, sagt es und zieht eine Uniform aus seinem Beutel. »Zeit für einen Anti-Terror-Anschlag, Herr Hauptmann.«

Eine Stunde später stehen wir in einer mit Generälen, Politikern, Journalisten und Vertretern der Rüstungsindustrie gefüllten Kongresshalle.

»Liebe Konferenzteilnehmer, liebe Kameraden«, sagt der Uniformierte auf dem Podium. »Bevor wir zum Ende unseres Seminares ›Nach dem Krieg ist vor dem Krieg‹ kommen, hören wir noch einen Redner, der sich in letzter Minute angemeldet hat. Bitte begrüßen Sie vom Verein *Krieg! Warum nicht?* Hauptmann Zuckmayer.«

»Das bist du …«, flüstert das Känguru und schubst mich auf die Bühne. In Camouflage mischt es sich unters Publikum in die vorderste Reihe. Meine Uniform sitzt, als hätte ich sie schon zur Konfirmation getragen.

»Genos… äh … Kameraden!«, sage ich. »Sehr geehrte Herren von der Presse, liebe Zivilisten. Stehen Sie bequem!« Grüßend hebe ich meine Hand.

»Sparen, sparen, sparen«, souffliert mir das Känguru aus unserer im Zug verfassten Rede.

»Sparen, sparen, sparen!«, rufe ich. »Sie wissen sicherlich, dass wir mit dem Gedanken spielen, die Bundeswehr zu privatisieren. Und das wird verdammt noch mal Zeit! Denn man muss sich vor Augen führen, dass jeder tote Taliban den deutschen Steuerzahler im Schnitt 214 662,50 Euro kostet!«

»Das muss doch einfach billiger gehen!«, ruft das Känguru und erntet einige »Hört, hört!«-Rufe.

»Wir wären deutlich billiger weggekommen, hätten wir jeden Taliban einzeln bei einem Profikiller in Auftrag gegeben«, sage ich. »Bei einem aus Hollywoodthrillern bekannten Satz von zehntausend Euro und einer geschätzten Zahl von 25 000 Taliban-Kämpfern hätte uns der Einsatz so nur 250 Millionen statt 36 Milliarden Euro gekostet. Einsparmöglichkeiten in einem mittleren zweistelligen Millardenbereich. Manch einer wird sagen: ›Peanuts!‹ Aber für manch anderen hier ist das fast ein Jahresgehalt. Wir alle wissen, wer dieses Einsparwunder zuwege bringen könnte!«

»Der freie Markt!«, ruft das Känguru.

»Richtig!«, sage ich. »Eine Privatisierung bietet viele neue Chancen für die Bundeswehr. Denken Sie zum Beispiel an den aktuellen Namen der Österreichischen Fußballliga *tipp3-Bundesliga powered by T-Mobile*. Da habe ich doch gleich eine wunderbare Schlagzeile vor Augen wie: ›Die ThyssenKrupp-Bundeswehr powered by Heckler & Koch verteidigt unsere Freiheit am Hindukusch‹.«

Ich räuspere mich.

»Auch durch das Versteigern von Sendelizenzen an TV-Kanäle könnten wir viel Geld einnehmen«, fahre ich fort. »Neue Formate drängen sich geradezu auf. Stellen Sie sich vor: In einem großen Panzer sind überall Kameras montiert, und das Publikum zu Hause darf jede Woche einen aus der Besatzung rauswählen.«

»Dürften sich die Zuschauer auch per SMS-Abstimmung an der Auswahl der Beschussziele beteiligen?«, ruft das Känguru.

»Alles ist denkbar«, sage ich. »Es darf keine Tabus geben. So könnte auch der größte Reality-Show-Erfolg der USA, *Survivor*, mit leicht verändertem Konzept endlich seinem Namen gerecht werden. Man steckt eine Gruppe Journalisten in ein Krisengebiet, und der letzte Überlebende bekommt fünf Minuten Sendezeit auf Comedy Central. Im Übrigen muss es ja nicht immer olivgrün sein. Auf unseren Uniformen sehe ich noch viel ungenutzten Platz für Werbebanner, Slogans und Embleme. In den Häuserkämpfen der modernen Großstadtkriege sind die Soldaten damit sogar viel besser getarnt!

Als ersten Schritt in Richtung Privatisierung kann ich mir einfaches Sponsoring vorstellen, nach dem Muster ›Die nächste Granate wird Ihnen präsentiert von Kentucky Fried Chicken‹, ›Die Flügel dieses Eurofighters wurden verliehen von Red Bull!‹ oder ›Mehr Druck als die nächste Bombe machen nur die neuen 20000-Watt-Boxen von Bang & Olufsen‹.

Dabei werden Kriege nicht nur effizienter und billiger geführt werden können, sie werden auch ziviler, denn einem breit aufgestellten Konzern ist naturgemäß daran gelegen, menschliche Opfer zu vermeiden, oder wie sagte schon der alte Krupp zu Hitler: ›Sachte, sachte! Einem toten Mann kann man nichts verkaufen!‹ Jawohl, Kameraden! Ein Verwundeter hingegen braucht Krankenhäuser, Schmerzmittel, Medizin, Prothesen.«

»Made in Germany!«, ruft das Känguru und reimt: »Exportweltmeister bleiben wir dank Minen, Pharma und Beck's Bier!«

»Richtig!«, sage ich. »Und in Friedenszeiten könnte man die Armee vermieten. Was soll die denn unnütz in den Kasernen versauern. Wollen wir doch mal sehen, ob sich noch jemand vor 'nem Bahnhof an 'nen Baum kettet, wenn sich die Deutsche Bahn ein Panzerbataillon gemietet hat.«

Das Känguru gibt mir ein Zeichen, zum Ende zu kommen. Ich sehe, wie der Moderator der Veranstaltung in einer Ecke mit den Sicherheitsleuten tuschelt.

»Darum keine Angst vor einer Privatisierung!«, rufe ich. »Oder wie sagte schon der Dalai Lama: Krieg ist nur die Fortsetzung der Ökonomie unter Einbeziehung anderer Mittel. Oder so ähnlich. Und ich persönlich werde nicht ruhen, bis für alle selbstverständlich ist, dass ein toter Taliban für unter 10000 Euro machbar ist.«

Spontan brandet Applaus auf. Die Leute fangen an, hektisch miteinander zu reden. Der Moderator nutzt die Gelegenheit und nimmt mir das Mikrofon weg.

»Dies war ein Anti-Terror-Anschlag des *Asozialen Netzwerkes*«, rufe ich noch, was aber schon im allgemeinen Geraune untergeht.

Als wir später am Hauptbahnhof aussteigen, treffen wir Krapotke wieder.

»Es reicht, Krapotke«, sage ich. »Es reicht.«

Ich sitze mit meinem Notebook im *Hafen der digitalen Bohème*. Mir gegenüber an der Wand hängt ein Poster. Darauf sieht man das Gesicht eines jungen Mannes und auf dem Bild steht:

»Bald im Kino:
Hatebook – Der Film!
›You don't get to 500 Million enemies without making a few friends.‹
Vom Regisseur von *eBay – Der Film!*«

Das Känguru stürmt herein und knallt drei Boulevardzeitungen auf den Tisch. Die Schlagzeilen lauten:

»Der richtige Vorschlag zur richtigen Zeit! – Hauptmann Zuckmayer gibt die Marschrichtung vor!«, *»Profikiller gesucht!«* und *»Julia Müller will in den Panzer! RTL 2 kündigt eine neue Talent-Show aus dem Panzer an! Sing Tank!«*

»Das ging ja mal voll nach hinten los …«, sagt das Känguru.

»Das ging ja mal voll nach hinten los, Herr Hauptmann!«, sage ich.

»Schockt dich das nicht?«, fragt das Känguru.

»Mich schockt nix mehr«, sage ich.

»So?«

»Schau mal hier«, sage ich und öffne Wikipedia. »Der internationale Gaddafi-Preis für Menschenrechte.«

»Hä?«, fragt das Känguru.

Ich lese vor: »Der Internationale Gaddafi-Preis für Menschenrechte ist eine seit 1989 jährlich vergebene Auszeichnung, gestiftet von und benannt nach dem libyschen Machthaber Muammar al-Gaddafi.«

Das Känguru zwinkert einige Mal. »Das ist ein Scherz«, sagt es.

»Keineswegs«, sage ich und lese dem Känguru einige Preisträger vor: »'89 Nelson Mandela, '90 die Kinder Palästinas, '91 die Ureinwohner Amerikas, '93 die Kinder Bosnien und Herzegowinas, '98 Fidel Castro, '99 die Kinder des Iraks.«

»Das ist auf eine beängstigende Art witzig und nicht witzig zugleich«, sagt das Känguru.

»Richtig witzig wäre es, wenn jedes Jahr Muammar al-Gaddafi den Preis gewonnen hätte«, sage ich.

»Oder wenn die EU, zu den Zeiten, als ihnen Gaddafi noch gut genug war, die afrikanischen Flüchtlinge mit allen Mitteln von der Küste fernzuhalten, den Preis gewonnen und akzeptiert hätte«, sagt das Känguru.

»Tjaja«, sage ich. »Als ich zum ersten Mal von diesem Preis gehört habe, da war ich geschockt. Ich dachte: ›Ich bin überflüssig, denn es ist schlicht unmöglich, die Wirklichkeit noch satirisch zuzuspitzen. Ich gebe auf. Wir wünschen Marc-Uwe Kling alles Gute auf seinem weiteren beruflichen Lebensweg.‹ Aber dann habe ich wieder den klassischen Problemlösungsweg gewählt und nicht weiter darüber nachgedacht.«

»Wenn Orwell noch gelebt hätte, als die Big-Brother-Show auf Sendung ging …«, sagt das Känguru. »Fast könnte man glauben, das Einzige, was Satire bewirkt, ist, die Leute auf dumme Ideen zu bringen.«

»Der Tepco-Preis für den Ausbau von erneuerbaren Energien«, sage ich.

»Die Erich-Mielke-Medaille für den Datenschützer des Jahres«, sagt das Känguru.

»Der Milton-Friedman-Award für soziale Gerechtigkeit.«

»Der Johannes-Paul-der-Zweite-Orden für die Eindämmung von AIDS.«

»Der Gerhard-Schröder-Scheck für die Entflechtung von Politik und Wirtschaft.«

»Der Axel-Springer-Preis für Qualitätsjournalismus«, sagt das Känguru.

»Den gibt es tatsächlich«, sage ich.

»War ja klar.«

Um den Abend dort zu beenden, wo er begann, bei uns zu Hause, stehe ich gegen Mitternacht mit dem Känguru, Otto-Von, Friedrich-Wilhelm und Krapotke an irgendeiner Haltestelle, und wir warten auf den Nachtbus, genauer gesagt auf den Schienenersatzverkehr.

Das Känguru hat sein Fahrrad dabei. Es möchte es mit in den Bus nehmen.

Otto sagt: »Bist du ganz sicher, dass du das wagen möchtest?«

»Wieso?«, lallt das Känguru. »Ist doch überhaupt kein Problem.«

Das Känguru fährt nicht oft mit dem Bus.

»Ich könnte euch meine neuesten Gedichte aufsagen, bis der Bus kommt«, schlage ich vor.

»Klagelied des Menschen unter dem Kapitalismus

Bis ich in meinem Bette sterbe
Wettbewerbe, Wettbewerbe.
Und wenn einer von der Planke springt
wird noch bewertet, wie er ertrinkt.«

Bei diesen Worten beugt sich das Känguru vornüber und schwankt bedrohlich hin und her.

»Was macht es da?«, fragt Friedrich-Wilhelm verwundert.

»Ich verschuche«, beginnt das Känguru zu lallen. »Ich … äh …«

Es hebt seinen Kopf, holt seufzend Luft und blickt mir lange und schwankend in die Augen.

»Ich versuche meinen Kopf in meinen Beutel zu stecken.«

In rasantem Tempo nähert sich plötzlich ein Bus.

»Krapotke! Legen Sie sich auf die Straße und zwingen Sie dadurch den Fahrer, sein Geschoss zu stoppen«, sage ich.

»Jawoll!«

»Jawoll, Herr Hauptmann!«

»Jawoll, Herr Hauptmann!«, ruft Krapotke und legt sich auf die Straße. Das funktioniert. Der Bus hält. Otto, Friedrich-Wilhelm und ich steigen ein. Das Känguru fragt, ob es das Fahrrad mit in den Bus nehmen darf.

»Wie stellen Se sich det vor?«, schnauzt der Busfahrer.

»Na ja«, sagt das Känguru schwankend, »ich würde es einfach durch die Tür in den Bus tragen.«

»Dit is 'n Bus«, sagt der Busfahrer.

Das Känguru nickt anerkennend.

»Das stimmt«, sagt es.

»Na also«, sagt der Busfahrer.

»Aber andererseits besteht hier ja Schienenersatzverkehr mit Bussen!«, sagt das Känguru. »Folglich ist das hier gar kein Bus, das ist eine U-Bahn!«

»Woll'n Se mich verarschen? Natürlich is dit hier 'n Bus. Kann mir doch keener erzähln, det dit hier keen Bus is! Und wie dit 'n Bus is! Mein janzes Leben fahr ick schon Bus. Ick werd ja wohl noch 'n Bus erkennen, wenn 'n Bus vor mir steht!«

»Und in die U-Bahn darf ich mein Fahrrad mitnehmen!«, beharrt das Känguru.

»Aba nich in den ersten Wagen«, keift der Busfahrer.

Wirklich selten habe ich zwei Betrunkene auf einem so hohen Niveau diskutieren hören.

Das Känguru seufzt resigniert.

»Na bittschön«, sagt es. »Dann fahr ich halt selber ...«

Es steigt mit Schwung von links auf sein Fahrrad und fällt rechts wieder runter. Mühsam rappelt es sich auf und reicht Krapotke das Fahrrad.

»Halt mal kurz«, murmelt es und steigt in den Bus.

»Warum soll ich das Fahrrad ...«, fragt Krapotke. »Also ... ich ... wie ... hat's ...«

»Ganze Sätze, Kropatke«, lallt das Känguru. »Ganze Sässe.«

»Hoppi, hoppi!«, zischt der Busfahrer.

»Wie bitte?«, fragt das Känguru und wendet sich schwankend, aber zackig zum Busfahrer.

»Komm ick zu Sie uff Arbeit und halte den Betrieb uff?«, fragt der Busfahrer.

»Das war bestimmt eine rhetorische Frage«, sagt das Känguru, da muss es schon schnell seinen Schwanz einziehen, damit er nicht von der Türe eingeklemmt wird. Krapotke steht noch draußen, mit dem Fahrrad in der Hand.

»Nun ja«, murmelt Otto. »Wahrscheinlich möchte der Busfahrer seine Fahrgäste schnell an ihre Ziele bringen und sie nicht in ihrer Bewegungsfreiheit durch Fahrräder behindert wissen.«

Ich blicke mich um. Der Bus ist komplett leer. Außer uns sitzt niemand darin. Kein Wunder, denn der Fahrer rast in einem Wahnsinnstempo an jeder Haltestelle vorbei.

»Der hat wohl seine Aufgabe nicht ganz verstanden«, zischt Friedrich-Wilhelm.

»Wir können ihn ja mal anhalten lassen«, sagt das Känguru und tut so, als wolle es den Stoppknopf drücken. Wir lachen alle. Friedrich-Wilhelm drückt auf den Knopf. Sofort hören alle auf zu lachen. Die Reifen quietschen, Friedrich-Wilhelm, der im Gang stand, wird nach vorne geschleudert, mit einem Ruck bleibt der Bus an einer Haltestelle stehen, die Türen öffnen sich. Dann passiert erst mal nichts. Man hört nur leise das bedrohliche Brummen des Busmotors.

»Es steigt hier besser jemand aus!«, ruft der Busfahrer.

Keiner von uns rührt sich.

»Wer war das?«

Friedrich-Wilhelm deutet auf Otto, Otto deutet auf mich, ich deute auf das Känguru, das Känguru deutet auf Friedrich-Wilhelm, und alle rufen wir: »Er war's!«

»Entweder einer steigt aus, oder alle steigen aus«, sagt der Busfahrer.

»Es war nur ein Versehen«, stammelt Friedrich-Wilhelm.

»Auf Wiedersehen ...«, sagt der Busfahrer und winkt. »You have reached your final destination.«

Kaum ist Friedrich-Wilhelm draußen, beschleunigt der Bus wieder.

»Da waren's nur noch drei«, murmle ich.

»Vielleicht darf er nicht länger als drei Sekunden langsamer als fünfzig fahren, sonst explodiert eine Bombe«, mutmaßt das Känguru.

»Wenigstens kommen wir so schneller zu euch nach Hause«, sagt Otto. »Ich hab mir noch Hackbraten von vorhin aufgehoben.«

»Mhm. Hackbraten«, sagen das Känguru und ich gleichzeitig. »Gute Idee.«

»Es ist aber nicht mehr viel da«, sagt Otto. »Das reicht höchstens für zwei.«

Ganz oft sagen Leute, ohne dies auch nur ansatzweise zu realisieren, etwas furchtbar Dummes. Das Känguru blickt mich an. Ich nicke. Blitzschnell zuckt seine Pfote zum Stoppknopf und wieder zurück. Sofort quietschen die Bremsen. Der Bus hält. Mit einem Zischen öffnen sich die Türen.

»Er war's!«, schreien das Känguru und ich gleichzeitig, während wir auf Otto deuten.

»Schweine«, murmelt Otto leise, aber das Brummen des Busmotors gibt ihm zu verstehen, dass sein Schicksal besiegelt ist, und er steigt aus. Die Fahrt geht weiter.

»Sag mal … Hast du eigentlich großen Hunger?«, fragt das Känguru.

Für einen kurzen, eiskalten Moment treffen sich unsere Blicke.

Ein Steppenläuferstrauch weht durch den Gang.

»Dieser Bus ist nicht groß genug für uns beide«, zische ich. Dann zuckt meine Hand blitzschnell zum Stoppknopf, und noch bevor die Bremsen quietschen, schreie ich: »Das Beuteltier war's! Ich hab's genau gesehen.«

Die Türen öffnen sich. Schweigend steigt das Känguru aus. Die Türen schließen sich wieder. Plötzlich steht ein Lächeln auf seinem Gesicht. Verdammt. Das war unsere Station.

»Niemand hat die Absicht, eine Mauer zu errichten.«
Bob der Baumeister

Ich gähne, reibe mir die Augen und nehme einen großen Schluck Kaffee. Das Radio läuft.

»*New York*«, sagt der Nachrichtenmann. »*Der sogenannte globale Emissionshandel mit Menschenrechtsverletzungen wurde heute ratifiziert. Von der UNO herausgegebene Zertifikate berechtigen ab sofort zu einer bestimmten Anzahl von Menschenrechtsverletzungen. Staaten mit einer guten Menschenrechtslage profitieren so durch den Verkauf überschüssiger Zertifikate an sogenannte Schurkenstaaten. So können Menschenrechtsfragen konfliktfrei über den Markt reguliert werden.*«

Plötzlich übertönt ohrenbetäubender Lärm das Radio. Ich eile in den Flur. Das Känguru steht schon da.

»Was ist hier los?«, brülle ich.

»Der Pinguin geht ab«, brüllt das Känguru.

»Was macht er denn?«, brülle ich.

»Nach der Lautstärke zu urteilen«, brüllt das Känguru, »spielt er den Zweiten Weltkrieg nach!«

Ich öffne die Tür. Der Lärm wird unerträglich. Ein Handwerker mit einem Schlagbohrer grüßt mich nickend. Ich schließe die Tür wieder.

Das Känguru brüllt etwas.

»Was?«, brülle ich.

Das Känguru zieht einen Stift und einen Block aus seinem Beutel. Es malt ein Bild von uns beiden an einem See. Ich nicke.

Anderthalb Stunden später sind wir irgendwo in Brandenburg. Das Känguru möchte mir den Badesee zeigen, den es als Kind immer mit seiner Mutti besucht hat. Irgendetwas muss der See aber in der Zwischenzeit verbrochen haben, denn man hat ihn eingesperrt. Das Gewässer ist komplett eingezäunt, und auf Schildern steht: »Privatgrundstück. Betreten verboten.«

»Verdammt sei der Erste, der ein Stück Land mit einem Zaun umgab und auf den Gedanken kam, zu sagen: ›Dies gehört mir‹, und verdammt seien die Leute, die einfältig genug waren, ihm zu glauben!«, ruft das Känguru. »Jacques Chirac.«

Es macht eine Räuberleiter, und ich beginne den Zaun hinaufzuklettern. Als ich an der höchsten Stelle angelangt bin, taucht plötzlich ein Passant auf.

»Finden Sie das in Ordnung, hier einfach fremdes Eigentum zu betreten?«, fragt er.

»Hm«, sage ich und überlege kurz. »Ja. Finde ich okay.«

»Wie fänden Sie das, wenn ich zu Ihnen nach Hause kommen und durch Ihren Garten spazieren würde?«, fragt er.

»Dazu müssten Sie uns erst mal einen Garten schenken«, sagt das Känguru.

»Dafür dürften Sie allerdings in dem Garten spazieren gehen, sooft Sie wollen«, sage ich.

»Ich werde den Sicherheitsdienst alarmieren«, sagt er und stapft davon.

»Nur konsequent!«, sage ich nickend. »Nur konsequent! Man muss zu seinen Überzeugungen stehen.«

»Da ham wer's mal wieder!«, ruft das Känguru dem Mann

hinterher. »Vierzig Jahre sozialistische Umerziehung ... Voll fürn Arsch!«

»Das ist doch irgendwie bemerkenswert«, sage ich, während ich oben auf dem Zaun sitze. »Im Realsozialismus wurden Mauern gebaut, um die Leute drinnen zu halten, im Kapitalismus werden Mauern gebaut, um sie draußen zu halten.«

»Aber in beiden Fällen ist es ein Armutszeugnis, dass die Leute offensichtlich nicht da hindürfen, wo sie hinwollen, und nicht da sein wollen, wo sie sind«, sagt das Känguru.

»Runter da«, ruft plötzlich ein von einer Zeitarbeitsfirma lohngedumpter Sicherheitsdienstleister. »Gehen Sie weiter.«

»Verdammt sei der Erste, der ein Stück Land mit einem Zaun umgab, und ... äh ... der ... äh ... und so weiter!«, sage ich. »Jacques Chirac!«

Der Mann schubst mich vom Zaun. Ich rappel mich wieder auf, rüttle am Zaun und rufe: »Ich will da rein!«

»Ist dir nicht klar, dass du hier gegen die Interessen deiner eigenen Klasse handelst?«, fragt das Känguru den Sicherheitsmann.

»Wir leben in einer sozialen Marktwirtschaft«, sagt der Mann. »Es gibt hier keinen Klassenkampf mehr.«

»Es ist immer noch wie im 30-jährigen Krieg«, sage ich zum Känguru. »Wes Brot ich ess, des Lied ich sing.«

»Jetzt halten Sie hier keine Vorträge!«, ruft der Mann. »Gehen Sie weiter!«

Das Känguru schüttelt genervt seinen Kopf.

»Ein Idiot in Uniform«, sagt es, »ist immer noch ein Idiot!«

»Ein Idiot in Uniform«, sagt der Mann, »ist immer noch in Uniform.«

Wir stellen uns direkt vor den Zaun und skandieren: »Der Zaun muss weg! Der Zaun muss weg!«

»Heute ein Zaun, morgen 'ne Mauer!«, ruft das Känguru.

»Niemand hat die Absicht, eine Mauer zu errichten«, beschwichtigt der Sicherheitsdienstleister.

»Und was ist das?«, frage ich und deute auf die Bauarbeiter, die gerade dabei sind, am anderen Ende des Grundstückes Mörtel anzurühren.

»Das wird keine Mauer«, sagt der Mann. »Nur ein Anti-Proletarischer-Schutzwall.«

Nach einiger Zeit entschließen wir uns, unseren Protest in eine Sitzblockade umzuwandeln. Das Känguru zieht unseren Picknickkram aus seinem Beutel. Wir grillen. Der Sicherheitsdienstleister schaut so hungrig auf unsere Würstchen, dass das Känguru mitleidig »Na gut …« seufzt und ihm ein Würstchen über den Zaun wirft. Nach dem Essen zieht das Känguru ein altes Bettlaken und Spraydosen aus seinem Beutel. Weil wir viel zu groß angefangen haben, steht am Ende nur: »›Verdammt sei der Erste … usw.‹ Jacques Chirac« auf dem Banner, welches wir nichtsdestotrotz sofort zwischen den Bäumen aufhängen.

Der Sicherheitsdienstleister hat sich auf einen Stuhl gesetzt und beobachtet uns skeptisch.

Das Känguru wirft immer wieder einen Seitenblick zu ihm hinüber.

»Schlaf ein!«, murmelt es. »Schlaf ein!«

Plötzlich kippt der Kopf des Mannes nach hinten, und er fängt an zu schnarchen.

Das Känguru zieht einen Bolzenschneider aus seinem Beutel.

»Gleich können wir Zaunstückchen an Touristen verkaufen«, sagt es.

»Wie hast du das gemacht?«, frage ich verblüfft.

»Die Macht hat großen Einfluss auf die geistig Schwachen«, sagt das Känguru.

»Rousseau!«, rufe ich und schlage mir gegen die Stirn.

»Nee. Obi-Wan Kenobi«, sagt das Känguru.

»Da war was in seinem Würstchen«, sage ich.

»Das macht man so mit Wachhunden«, sagt das Känguru.

Es schneidet einen schön großen Eingang in den Zaun. Ich stelle derweil am Wanderweg ein großes Schild mit Wegweiser auf: »Badesee! Eintritt frei! Hier entlang!«

Das Känguru kommt hinzu und schreibt das Kleingedruckte: »Dies ist ein Anti-Terror-Anschlag des *Asozialen Netzwerkes*.«

Keine fünf Minuten nach unseren kleinen baulichen Veränderungen steigen die ersten Wanderer durch das Loch im Zaun.

»Die Deutschen wollen ja rebellisch sein«, sage ich nickend. »Sie warten nur auf einen, der es ihnen erlaubt.«

VIER STUNDEN SPÄTER[32]

Als wir nach Hause kommen, steht ein grimmiger Mann in Uniform vor der Tür des Pinguins und hält Wache. Auf sei-

32 Zeitsprung, der: Man kennt diesen Kunstgriff aus Filmen, in denen Regisseur und Drehbuchautor zu faul sind, das Vergehen der Zeit aus Bildern zu entwickeln. Folgendes ist passiert: Wir lagen noch eine Weile am See. Dann sind wir mit den Fahrrädern zurück zur Bahnstation gefahren. Dann sind wir mit der S-Bahn zurück nach Berlin gefahren. Dann mussten wir in die U-Bahn umsteigen, und irgendwann später sind wir wieder in Kreuzberg angekommen und den Rest des Weges nach Hause gelaufen. Oft soll ja dem Publikum mit einem Zeitsprung suggeriert werden, dass in der Zwischenzeit nichts Relevantes passiert ist. Das war hier der Fall.

ner Plakette steht: »Cheap-Security-24.de«. Ein schweres Eisengitter schützt neuerdings die Tür.

»Das ist nicht sein Ernst …«, murmelt das Känguru.

»Nicht stehenbleiben«, sagt der Sicherheitsdienstleister. »Gehen Sie weiter! Gehen Sie weiter!«

SECHZEHN STUNDEN SPÄTER[33]

Wie zufällig dreht das Känguru das Radio lauter.

»Berlin«, sagt die Nachrichtenfrau. *»Eine unliebsame Überraschung erlebte der Spitzenkandidat der SV in Berlin, Jörg Dwigs, als gestern Unbekannte sein Grundstück am See kurzerhand zur öffentlichen Badestelle deklarierten.«*

Ich blicke zum Känguru. Es grinst.

33 Whatever …

»Drecksputamadresiktirlanvaffanculobullshitbaisetoi!«, schreie ich meinen Computer an. Das Känguru schlurft in seiner Profi-Kuscheldecke in mein Zimmer und nimmt mir das Notebook aus der Hand.

»Du hast ja deinen Tick weiterentwickelt«, sagt es anerkennend. »Multilingual. Ich bin begeistert.«

»Man tut, was man kann«, sage ich.

»What seems to be le problème, amigo?«, fragt es.

»Le fucking Internet ist kaputt«, sage ich. »Und ich muss was nachkucken.«

Das Känguru drückt zwei, drei Knöpfe. Dann noch ein Dutzend andere. Dann schaltet es das Notebook aus und wieder an. »Hm«, sagt es. »Das Internet ist wirklich kaputt.«

»Häufig ist man ja gar nicht zu blöd«, sage ich. »Die Scheiße ist nur kaputt.«

»Was willst du denn wissen?«, fragt das Känguru.

»Wie der Wirtschaftsfuzzi heißt«, sage ich.

»Welcher?«

»Na, der Ministerfuzzi. Der Wirtschaftsministerfuzzi.«

»Weiß nicht.«

»Aber du behauptest doch immer, dass du alles weißt«, sage ich.

»Nicht alles«, sagt das Känguru. »Nur alles, was man wissen muss.«

»Und durch was wird definiert, was man wissen muss?«

»Durch einen logischen Umkehrschluss«, sagt das Känguru.

»Aha. Wenn du alles weißt, was man wissen muss, dann ...«

»Muss man eben alles wissen, was ich weiß.«

»Und wie der Wirtschaftsfuzzi heißt, muss man nicht wissen?«, frage ich.

»Nee. Offensichtlich nicht.«

»Wieso nich?«

»Na, ist doch schnurzpiepe. Ich muss doch auch nicht wissen, wie der Busfahrer heißt. Reicht doch, dass ich weiß, dass es ihn gibt, den Busfahrer, und ich weiß, er fährt den Bus, und ich weiß, dass ich Busfahren nicht leiden kann. Mehr muss man nicht wissen. Außerdem: Diese Arschkrampe, die John Lennon erschossen hat, tat das ja bekanntermaßen, um selbst berühmt zu werden. Darum kam die Idee auf, ihn dadurch zu strafen, dass man nie seinen Namen nennt, sondern stattdessen zum Beispiel ›Die Arschkrampe, die John Lennon erschossen hat‹ sagt. Man verweigert ihm einen Platz in der Geschichte. Demselben Prinzip folgend habe ich vor, nie wieder den Namen eines Wirtschaftsfuzzis, eines Promifuzzis oder eines Politikerfuzzis auszusprechen. They who must not be named.«

»Ich hatte mal die Idee, so Schilder stanzen zu lassen, wo draufsteht: BITTE REDEN SIE MIT DEM BUSFAHRER. ER HAT SONST NIEMANDEN«, sage ich.

»Oft frage ich mich«, sagt das Känguru, »ob du auch nur den kleinsten Teil dessen kapierst, was ich dir zu vermitteln versuche.«

»Ich wette, es gibt Dinge, die du nicht weißt, die man wissen muss.«

»Stelle mir zehn Fragen«, sagt das Känguru. »Wenn ich etwas Wissenswertes nicht weiß, darfst du die letzte Bulette von heute Mittag essen. Wenn ich aber alles Wissenswerte weiß, darf ich sie essen.«

»Ich sehe in deinem Angebot keinen Vorteil für mich«, sage ich. »Ist das nicht sowieso noch meine Bulette?«

»Ja, so ist es«, sagt das Känguru. »Noch neun Fragen.«

»Halt! Halt! Moment! Okay. Äh. Was bedeutet ›Administrador Viejo‹?«

»Das ist Spanisch für ›Alter Verwalter‹. Noch acht Fragen.«

»Und was heißt ›Alter Schwede‹ auf Spanisch?«

»Sueco Viejo«, sagt das Känguru. »Noch sieben Fragen.«

»Hatte ich dir das schon erzählt?«, frage ich.

»Ja. Vorgestern«, sagt das Känguru. »Noch sechs Fragen.«

»Verdammt. Okay. Okay. Wenn du ein Superheld wärst, wie würdest du dich nennen?«

»Crazy Kangaroo.«

»Nicht Wonder Roo?«

»Nein.«

»Oder Special K?«

»Nein«, sagt das Känguru. »Noch zwei Fragen.«

»Habe ich nicht noch drei Fragen?«

»Jetzt nicht mehr«, sagt das Känguru.

»Moment. Harhar. Wer hat die letzte Fußballweltmeisterschaft gewonnen?«

»Muss man nicht wissen«, sagt das Känguru. »Deine letzte Frage.«

»Warum steht ein Flamingo auf einem Bein?«

»Wenn er dieses eine Bein auch noch hochhebt, fällt er um!«, ruft das Känguru. »Tada! Huu! Haa! Dschingis Khan! Her mit der Bulette!«

»Die habe ich schon vor 'ner halben Stunde gegessen«, sage ich.

»Oh«, sagt das Känguru enttäuscht. »Das wusste ich nicht.«

»Ha!«

»Razupaltuff …«

»There's No Business Like Show Business.«
Muammar al-Gaddafi

»Ich glaub, jetzt fängt's an, oder was?!«, sagt das Känguru empört.

»Was?«

»Ich glaub, jetzt fängt's an!«

»Meinst du: ›Ich glaub, es geht los!‹«, frage ich. »Oder was?«

»Ja, genau. Das meine ich. Ich glaub, es fängt an.«

»Geht los.«

»Ja. Geht los.«

»Was denn?«

»Na du! Was wird denn das hier, wenn's fertig ist?«

»Ich gehe doch bald wieder mit der Gesellschaft auf Tour. Und ich will ein bisschen mehr machen als nur Gitarre spielen und singen. Mehr so 'ne Performance. Mehr so … Wie nennt man das noch mal?«

»Kunst?«

»Ja, genau«, sage ich.

»Und so willst du auf die Bühne gehen?«, fragt das Känguru.

»Joa.«

»Außer den Patronengurten ziehst du nichts an?«

»Nee.«

»Und die lässt du da so ...«

»Na ja. Entweder so oder hier so rum.«

»Sssss. Aua«, sagt das Känguru und kneift die Augen zusammen. »Ich kann gar nicht hinkucken.«

»Das ist gut. Dann so.«

»Mit was hast du dich da eingeschmiert?«

»Rohöl.«

»Tatsache ...«, sagt das Känguru. »Und was hast du in den Wasserspritzpistolen?«

»Rohöl«, sage ich. »Falls jemand bei den Mitsingteilen nicht mitsingt. Oder falls sich einer von der Band verspielt.«

Ich rücke mein Kostüm zurecht.

»Boah!«, ruft das Känguru. »Lass doch mal den Patronengurt ...«

Ich schalte den Betonmischer aus.

»Und du glaubst, das kommt gut an?«, fragt das Känguru.

»Jetzt will ich dir mal was sagen«, erwidere ich mit erhobenem Zeigefinger. »Generationen von Künstlern vor mir haben gesoffen, geflucht, gehurt, Köpfe von Fledermäusen abgebissen, Gitarren zertrümmert, in Fässern gehaust, in öffentlichen Toiletten gewichst, mit Minderjährigen geschlafen, sich die Ohren abgeschnitten, und zwar nicht zuletzt dafür, dass ich mich aufführen kann wie ein infantiler Geisteskranker und die Leute das schulterzuckend mit dem Satz: ›Er ist halt ein Künstler ...‹ quittieren.«

»Kleinkünstler«, sagt das Känguru.

»SCHLUSS MIT KLEINKUNST!«, schreie ich.

»Das wäre auch 'ne gute Inschrift für deinen Grabstein«, sagt das Känguru.

Ich seufze.

»Na was?«, fragt das Känguru.

»Hast du nicht auch schon mal das Gefühl gehabt, dass du

etwas Besonderes bist?«, frage ich. »Jemand Tolles? Jemand Außergewöhnliches?«

»Ja sicher«, sagt das Känguru. »Wer hat das nicht?«

»Aber dieses Gefühl ist Quatsch«, sage ich. »Das wird uns nur von der Wohlfühlindustrie eingeredet!«

»Nee«, sagt das Känguru. »Ich bin wirklich was Besonderes.«

»Aber ich nicht«, sage ich trotzig. »Ich bin der Einzige auf der Welt, der nichts Besonderes ist.«

»An deiner Stelle würde ich mich nicht zu laut über meinen Job beschweren«, sagt das Känguru.

»Auch auf der Bühne zu stehen hat Vor- und Nachteile«, sage ich.

»Ah ja?«

»Ja. Ein Vorteil ist zum Beispiel, dass man auch nach dem dritten Klingeln noch in aller Ruhe auf die Toilette gehen kann.«

»Und ein Nachteil?«

»Man kann nicht in der Pause gehen, falls einem der Abend nicht gefällt.«

Das Känguru blickt mich sorgenvoll an.

»Was ist nur los mit dir?«, fragt es.

»Ach«, seufze ich. »Ich glaube, ich kriege meine Midlife-Crisis.«

»Mit 28?«, fragt das Känguru zweifelnd.

»Pah«, murre ich »Was weißt'n du, wie alt ich werden will.«

»Na ja. Schön und gut«, sagt das Känguru und blickt im Zimmer umher, »aber hättest du diese Sauerei nicht draußen veranstalten können?«

»Spinnst du?«, frage ich. »Was sollen denn die Leute von mir denken?«

**»Nichts ist mächtiger als eine Idee,
deren Zeit gekommen ist.«
Paris Hilton**

Kaum bin ich von der sehr langen und sehr anstrengenden Tour zurück, da schleppt mich das Känguru schon wieder vor die Tür. Wir laufen ein Stück, bis zu einer extrem toten Straßenkreuzung. Dort stehen wir nun im Dunkeln herum.

»Wie kam eigentlich das mit dem Rohöl an?«, fragt das Känguru.

»Ich habe mich kurzfristig dagegen entschieden«, sage ich.

»Wahrscheinlich besser so«, sagt das Känguru. »Bei den Ölpreisen hättest du sonst vielleicht Verlust gemacht.«

»Worauf warten wir eigentlich?«, frage ich.

»Wir warten auf den Bus«, sagt das Känguru.

»Hier ist aber keine Haltestelle«, sage ich.

»Unser Bus braucht keine Haltestelle«, sagt das Känguru. An einer goldenen Kette zieht es eine Taschenuhr aus seinem Beutel.

»Jetzt«, sagt es.

Scheinwerfer zerfetzen die Nacht. Ein Bus rauscht heran. »Betriebsfahrt« prangt in leuchtenden Lettern über der Windschutzscheibe. Direkt vor uns kommt das Gefährt quietschend zum Stehen. Die Vordertür öffnet sich.

»Hola, Comandante!«, sagt der Mann hinterm Steuer. Er kommt mir seltsam bekannt vor. Der Schnurrbart, die altmodische Brille, das fiese Gesicht. Nichts unterscheidet ihn von einem gewöhnlichen Berliner Busfahrer. Außer natürlich, dass er das Känguru gerade ›Comandante‹ genannt hat.

»Ich grüße Sie, Herr Professor«, sagt das Känguru und steigt ein.

»Ein Neuer?«, fragt der Busfahrer.

»Nein, nein. Das ist der Hauptmann«, sagt das Känguru und zieht mich in den Bus.

»Ah! Der Hauptmann!«, sagt der Busfahrer. »Ick hab schon viel von Ihnen jehört.«

»Hm«, mache ich nachdenklich, lege meinen Kopf schräg, kneife die Augen zusammen und mustere den Busfahrer skeptisch. Die Tür schließt sich, und das Gefährt nimmt wieder Fahrt auf. Der Bus ist vollgepackt mit Menschen. Kaum einer sitzt. Einige wuseln im Gang umher, andere stehen in Grüppchen zusammen. Jeder scheint unbedingt die Aufmerksamkeit der anderen auf sich ziehen zu wollen. Der Lärm ist ohrenbetäubend. Ich starre ratlos auf die Szenerie.

»Administrador viejo«, sage ich.

»Sueco viejo«, sagt das Känguru zustimmend.

Langsam sortiert mein Gehirn den Brei, und ich kann einzelne Stimmen heraushören.

»Der Generalsekretär will etwas sagen«, ruft einer.

»Der Generalsekretär soll die Schnauze halten!«, ruft ein anderer.

»Nicht in diesem Ton, Herr Abteilungsleiter!«

»Der Abteilungsleiter soll lieber selber die Schnauze halten!«, ruft eine mir bekannte Stimme. Es ist Friedrich-Wilhelm, den ich jetzt mitten im Gewimmel entdecke. Am hinteren Ende des Busses sehe ich auch Otto, der an einem kleinen Grill steht und Bratwürste wendet. Über seinem Grill hängt ein Banner: »Diese geheime Versammlung wird Ihnen präsentiert von BioBrause™. BioBrause™ – gibt's jetzt überall!«

Plötzlich kommt Friedrich-Wilhelm auf uns zu.

»Ah! Comandante«, sagt er. »Endlich!«

»Herr Generalsekretär«, sagt das Känguru und nickt.

»Verschaffen Sie mir doch ein bisschen Ruhe«, sagt Friedrich-Wilhelm. »Ich will etwas sagen!«

Das Känguru zieht ein Megafon aus seinem Beutel und ruft: »Alle mal die Schnauze halten!«

»Ah! Comandante ist endlich zugestiegen«, höre ich jemanden in der eingekehrten Ruhe flüstern.

Vorne im Bus, ganz in unserer Nähe, befindet sich ein Rednerpult. Friedrich-Wilhelm zwängt sich dahinter.

»Ich sage, wir machen es so wie besprochen, und damit basta«, ruft er.

Sofort bricht ein wütender Tumult aus Gemurmel, »Buh«- und »Dann mach's doch alleine«-Rufen los.

»Ruhe!«, schreit der Generalsekretär. »Ruhe!«

Ich ziehe meinen Schuh aus und reiche ihn Friedrich-Wilhelm.

Der Generalsekretär nimmt den Schuh und schlägt damit mehrmals auf das Rednerpult.

»Ruhe! Ruhe!«, ruft er. »So wie besprochen! Es hat doch keinen Sinn, immer Sachen zu besprechen und dann alles genau anders als besprochen zu machen.«

Es gelingt ihm nicht, die Situation wieder unter Kontrolle zu bringen.

»Autoritäres Schwein!«, ruft eine.

»Faschist!«, ruft ein anderer.

»Macho!«, brüllt eine dritte Stimme.

»Ich sage, wir machen es genau anders als besprochen!«, ruft Otto von hinten.

»Genau!«, »Hervorragend!«, »Da bin ich dabei!«, »Der Reichskanzler hat recht!« und Ähnliches ruft die Menge.

»Was geht hier vor?«, flüstere ich.

»Das ist ganz normal«, sagt das Känguru. »So laufen die Vollversammlungen immer ab.«

»Die Vollversammlungen?«, frage ich.

»Vom *Asozialen Netzwerk*«, sagt das Känguru. »Du warst ganz schön lange auf Tour. Es hat sich einiges getan.«

»Sieht so aus …«, murmle ich.

»Die Titel haben übrigens keine Bedeutung«, sagt das Känguru. »Es gibt natürlich keine Hierarchie. Jeder darf sich so nennen, wie er will.«

»Comandante?«, frage ich und ziehe eine Augenbraue nach oben.

»Na ja«, sagt das Känguru schulterzuckend.

Noch einmal blicke ich mich im Bus um. Viele Gesichter sind mir unbekannt. Ein paar kenne ich vom Boxclub. Und …

»Hola, Comandante!«, salutiert eine kleine, dicke Frau vor dem Känguru. »Hasta la victoria siempre!«

Es ist die depressive Sachbearbeiterin vom Jobcenter.

»Ich grüße Sie, Große Vorsitzende«, sagt das Känguru.

»Schön, dass Sie wieder da sind, Herr Hauptmann«, sagt sie und schüttelt mir die Hand. »Wird Zeit, dass jemand etwas Ordnung bringt in diesen Sauhaufen.«

Ich kratze mich am Kopf.

»Komm, ich stell dich mal ein paar Leuten vor«, sagt das Känguru und zieht mich ins Gewusel.

»Hier der Geheimagent«, sagt das Känguru.

»Ah! Der Hauptmann vom Wannsee«, sagt der Geheimagent.

»Woher weiß er das?«, frage ich schaudernd.

»Das hier ist der Intendant«, sagt das Känguru.

»So kann ich nicht arbeiten!«, sagt der Mann kopfschüttelnd.

»Die drei, die hier Skat spielen, sind der Chefredakteur, der Abgeordnete und der Vorstandssprecher«, sagt das Känguru.

»Geradezu eine klassische Skatrunde«, sage ich.

»Auf ein Wort, Comandante«, sagt der Vorstandssprecher, und das Känguru setzt sich zu ihnen. So bin ich plötzlich auf mich allein gestellt.

»Was ist mit dir?«, fragt mich ein seltsam bartloser Rocker. »Bist du dabei?«

»Wobei?«, frage ich.

»Na, bei der Sache«, sagt er.

»Ach so …«, sage ich.

»Und biste dabei?«, fragt er noch einmal.

»Klar«, sage ich nickend. »Bin dabei.«

»Wusste ich doch«, sagt der Rocker. »Der Hauptmann ist keiner, der kneift.«

»Nee«, sage ich. »Der Hauptmann kneift nicht.«

»Nich der Hauptmann«, sagt er.

»Nee, nee«, sag ich.

»Gott steht uns bei«, sagt er.

»Wer?«, frage ich.

»Die niedliche Kleine dahinten.«

Dann reicht er mir eine Pistole.

»Nur für alle Fälle«, sagt er.

Das Känguru steht auf, nimmt mir sanft die Pistole aus der Hand und reicht sie zurück.

»Darüber hatten wir doch schon geredet, mein lieber Messias«, sagt es tadelnd und gibt dem Rocker einen leichten Klaps auf die Backe. »Keine Gewalt.«

»Ja, ich weiß«, sagt der Messias verschämt und hält die andere Wange hin.

»Gott ist ja niedlich«, sage ich zum Känguru geneigt. »Glaubst du, ich kann sie mal nach ihrer Telefonnummer fragen?«

»Sicher«, sagt das Känguru. »Aber bedenke: Gottes Liebe ist unendlich.«

»Hä?«

»Nun, die Menschen dürfen nur einen Gott haben«, sagt der Messias. »Aber Gott hat viele Menschen …«

»Aha. Ist das ein Gleichnis?«, frage ich.

»Nein«, sagt der Messias. »Das hier ist ein Gleichnis: Ein armer Mann hatte zwei Töchter, die beide unglaublich scharf waren. Nee. Moment. Drei. Drei Töchter. Drei Töchter, die unterschiedlich scharf waren. Ihr Vater allerdings war ein reicher Mann. Er sagte zu seinen Töchtern: ›Gehet in die Welt hinaus, bringet mir einen güldenen Elefanten.‹ Da ging die älteste Tochter, die Schärfste, hinaus in die Welt und kam nicht mehr zurück. Da ging die jüngste Tochter, also die sah auch super aus, und jedenfalls … die kam nicht mehr zurück. Die andere schon. Genau. So war's. Die andere kam zurück.«

Der Messias schweigt.

»Aha«, sage ich.

»Denk nicht zu viel darüber nach«, sagt das Känguru.

»Und wer ist er?«, frage ich und deute auf einen, der gerade auf einen Sitz gestiegen ist, um sich die Hose runterzuziehen und den anderen seinen nackten Hintern zu präsentieren.

»Das ist der Papst«, sagt das Känguru.

»Was denn, noch einer?«, frage ich.

»Pssst!«, macht das Känguru und fügt hinter vorgehaltener Pfote hinzu: »Er ist ein bisschen gaga. Er ist von Gott besessen, aber sie will nur mit Gummi, was er aus irgendwelchen obskuren Gründen aber nur für HIV-infizierte homosexuelle Prostituierte im Kirchendienst erlaubt.«

»Aber mein lieber Heiliger Vater!«, ruft da die Große Vorsitzende. »Muss das denn sein?«

Der Papst hat sich mit einem dicken Filzstift zwei Augen und einen Mund auf die Pobacken gemalt, so dass die Spalte als Nase fungiert.

»Es jibt sone und solche, und dann jibt es noch janz andre, aba dit sind die Schlimmstn«, sagt eine Frau im hinteren Teil des Busses, »wa?«

»Herta!«, sage ich erstaunt.

»Die Amazonenkönigin«, verbessert mich das Känguru.

Der Papst kneift seine Pobacken zusammen, entspannt sie wieder und ruft dabei mit verstellter Stimme: »Hallo! Hallo! Ich bin ein Arschgesicht! Ich bin ein Arschgesicht! Macht, was ich sage. Ich befehle es! Mein Name ist Generalsekretär!«

Friedrich-Wilhelm verschränkt beleidigt seine Arme und sagt nur: »Pah!« Der Papst springt ohne Hose, wie ein Affe, über die Sitze auf den Generalsekretär zu. In dem darauf folgenden Gerangel betätigt Friedrich-Wilhelm aus Versehen den Stoppknopf. Sofort ist es totenstill im Bus. Das Gerangel ist vergessen. Die Reifen quietschen, mit einem Ruck bleibt der Bus stehen, die Türen öffnen sich. Man hört nur leise das bedrohliche Brummen des Busmotors. Der Busfahrer blickt stumm nach hinten. Er mustert uns. Schließlich deutet er auf Friedrich-Wilhelm und danach auf die Tür. Mit hängendem Kopf steigt der Generalsekretär aus. Die Tür schließt sich, und der Busfahrer gibt wieder Gas.

»Der Professor ist eigentlich ein ganz netter Typ«, sagt

das Känguru. »Aber bei dem Thema lässt er nicht mit sich spaßen.«

Nachdem ich eine gute Weile lang vom Systemadministrator bis zur Oberhexe allerhand Hände geschüttelt habe, lasse ich mich erschöpft auf einen Sitz fallen.

»Ich hab endlich diese großen weißen Aufkleber mit dem dicken schwarzen Fragezeichen darauf geliefert bekommen«, brüllt da plötzlich ein Punk neben mir.

»Das ist der Filialleiter«, sagt das Känguru. »Der mit dem roten Iro.«

»Ich plane damit einen Anti-Terror-Anschlag gegen die Informationsmüllmonitore in den U-Bahnen. Wer macht mit?«

Ein paar Leute melden sich. Das Känguru stupst mich auffordernd an.

»Was ist mit Ihnen, Herr Hauptmann?«

»Na ja«, sage ich. »Die Idee klingt ja ganz nett, aber ich glaube nicht, dass sie dem System irreparablen Schaden zufügen wird.«

»Darauf kommt es auch nicht an«, sagt das Känguru. »Es ist ja fast allen klargeworden, dass man das System offenbar nur sehr schwer sprengen oder aushebeln kann. Deshalb haben wir uns entschlossen, es zu zernagen!«

Es klappert mit den Zähnen.

»Es mag ja sein, dass die Bösen mit den Skrupellosen und den Doofen eine unheilige Allianz eingegangen sind«, sagt der Messias. »Und dass sie übermächtig, vielleicht sogar unbesiegbar sind. Das sollte uns aber keinesfalls davon abhalten, sie wann, wie und wo immer möglich zu ärgern.«

Das Känguru nickt.

»Man könnte auch sagen, wir setzen viele kleine Nadelstiche«, sagt der Vorstandssprecher. »Wir versuchen sozusagen mit Akupunktur ein wenig Leben, etwas Bewegung in den trägen Leib des Leviathans zu bringen.«

»Der Vorstandssprecher arbeitet zum Beispiel auf dem Sozialamt«, sagt das Känguru. »Und hat den ›Abgelehnt‹-Stempel durch einen ›Witzig‹-Stempel ersetzt. Der Abgeordnete arbeitet in 'ner Bank und schickt öfter mal CDs mit Infos über Großverdiener ans Finanzamt.«

»Und was macht der Messias privat?«, frage ich. »Das hat mich schon immer brennend interessiert.«

»Der Messias schweigt sich beharrlich aus über sein Leben jenseits des Netzwerkes«, sagt das Känguru. »Wahrscheinlich, um sich noch interessanter zu machen …«

»Ich möchte darauf mit einem Gleichnis antworten«, sagt der Messias. »Es war einmal ein fruchtbarer Acker. Oder nee. Vielmehr eine Wiese …«

»Unser heutiges Hauptthema haben wir immer noch nicht geklärt«, ruft plötzlich der Reichskanzler dazwischen. »Wer ist alles bei der großen Sache dabei? Bisher haben sich Gott, der Messias und der Hauptmann …«

»Ich bin ein Arschgesicht! Mein Name ist Reichskanzler!«, ruft der Papst.

»Meine Herrschaften, bitte!«

»Herrschaften? Das ist doch sexistisch! Ich fühle mich ausgeschlossen.«

»Mit Verlaub, Herr Präsident, Sie sind ein Arschloch!«

»Besser ein Arschloch als ein Kretin, Sie Kretin!«

»Bitte nicht diese farbige Sprache.«

»Ich finde ›farbige Sprache‹ rassistisch!«

»Also gut: bunte Sprache.«

»Was ham Sie denn gegen bunt?«

»Ich habe einen Antrag zur Geschäftsordnung.«

»Hört, hört! Einen Antrag zur Geschäftsordnung.«

»Schnauze!«

»Machen Se nich so viel Wind mit ihr kurzet Hemd!«

»Anträge zur Geschäftsordnung haben Vorrang!«

»Mir egal! Ich scheiß auf eure Anträge!«

»Schnauze!«

»Wieso treffen wir uns eigentlich in einem Bus? Mir ist schlecht.«

»Genau!«

»Wer issen er?«

»Kennst du den nich? Das ist der Hauptmann.«

»Nieder mit den Bussen!«

»Schnauze!«

»Ich habe einen Antrag zur Geschäftsordnung.«

»Na und?«

»Komm, wir gehen«, sagt das Känguru zu mir und drückt auf den Stoppknopf. »Wir sind zu spät eingestiegen. Da kommt nicht mehr viel heraus heute, und den Rest können wir morgen im Internet nachlesen.«

Die Lobby eines großen, mäßig sympathischen Kinos am Potsdamer Platz ist völlig überfüllt mit Menschen, die entweder mit mäßig attraktiven Plastikbrillen aus mäßig interessanten Filmen stolpern oder hinter einem Känguru Schlange stehen.

»16 Euro bitte«, sagt der Junge an der Kinokasse.

»Waaass?!?«, ruft das Känguru entsetzt.

»16 Euro bitte.«

»Waaass?!?«, ruft das Känguru.

»Boah!«, sage ich. »Kannst du nicht mal Kinokarten kaufen, ohne einen Aufstand zu verursachen?«

Das Känguru macht eine Geste, als sei es sich keiner Schuld bewusst.

»Pro Person«, sagt der Junge.

»Waaass?!?«, rufe ich.

»16 Euro pro Person.«

»Aber, aber … Warum?«, fragt das Känguru.

»Hier steht doch: ›Eintritt: 5 Euro‹«, sage ich.

»Plus zwei Euro Überlängenzuschlag, weil der Film länger als 81 Minuten ist. Plus ein Euro, weil Samstag. Plus ein Euro, weil Sie nicht in der ersten Reihe sitzen wollen, und zwei Euro für IMAX und fünf Euro für 3D und Brille. Die Brille dürfen Sie dafür auch behalten.«

»Ja, aber was soll ich denn damit?«, fragt das Känguru.

Ruckartig stößt es seinen Kopf nach vorne und kommt kurz vor der Nasenspitze des Jungen zum Halt.[34]

»In der Wirklichkeit ist doch schon alles 3D.«

Es kneift den Jungen in die Wange.

»Hier! 3D. Siehst du? 3D!«

Der Junge drückt das Känguru zurück über die Theke.

»Sie können die Brille auch gerne nach Ende des Filmes zurückgeben«, sagt er.

Das Känguru blickt ihm fest in die Augen. »Niemals!«, zischt es.

Einen kurzen Moment verharren die Kontrahenten. Die Schlange hinter dem Känguru ist enorm.

»Also, wir fangen jetzt von vorne an, und du machst mir ein vernünftigeres Angebot«, sagt das Känguru.

»Welcher Film?«, fragt der Junge.

»Kino 1«, sagt das Känguru.

»16 Euro bitte«, sagt der Junge.

»Waaass?!?«, ruft das Känguru.

»16 Euro pro Person.«

»16 Euro«, ruft das Känguru fassungslos. »Das, das, das sind ja …«

»Oje …«, seufze ich. Das Känguru springt auf die Theke.

»16 Euro!«, ruft es den Leuten zu. »Das, das … das sind 32 Mark! Das, das, das sind 64 Ostmark! Das sind 320 Ostmark auf dem Schwarzmarkt! Und ich weiß nicht, ob ihr das noch wisst, aber man konnte locker für eine Ostmark ins Kino gehen.«

---

34 Ich möchte anregen, dass in einer etwaigen Verfilmung dieses Buches diese Einstellung (und nur diese Einstellung) in 3D gedreht wird. Man könnte den Film dann mit den Worten »Mit einer Einstellung in 3D« bewerben.

Ich vermeine Unmutsäußerungen, aber auch zustimmendes Gemurmel zu vernehmen.

»Das heißt, man konnte von 320 Ostmark 320-mal ins Kino gehen«, fährt das Känguru fort. »Wenn ihr heute 320-mal ins Kino gehen wollt, müsst ihr … äh … 5120 Euro bezahlen. Ja! Ja! Ich weiß, was ihr denkt: 10240 Mark. 20480 Ostmark. 102400 Ostmark auf dem Schwarzmarkt. Davon konnte man 102400-mal ins Kino gehen.«

Vereinzelt fliegen 3D-Brillen in Richtung Kasse.

Einer der Umstehenden sagt: »Ich glaube, ich kenn das von youtube …«

»Wenn ihr aber heute 102400-mal ins Kino gehen wollt, müsst ihr … äh … sagen wir mal: zwei Milliarden Euro für bezahlen. Ja, ja! Ich weiß, was ihr denkt: 4 Milliarden Mark. 8 Milliarden Ostmark. 40 Milliarden Ostmark auf dem Schwarzmarkt.«

Eine Brille trifft das Känguru am Kopf.

»Das wären 40 Milliarden Kinobesuche«, fährt es unbeirrt fort. »Wenn ihr heute 40 Milliarden Mal ins Kino gehen wollt – dafür habt ihr ja gar keine Zeit im Kapitalismus, aber wenn ihr die Zeit hättet –, dann müsstet ihr grob geschätzt eine Billion Euro dafür bezahlen. Ich weiß, was ihr denkt«, ruft das Känguru. »Davon hätte man die DDR entschulden können! Von einmal ins Kino gehen. So teuer ist das alles geworden.«

»Entschuldigung«, unterbricht der Junge an der Kinokasse das Känguru. »Was sind denn Ostmark?«

Das Känguru blickt ihn entsetzt an.

»Dafür bin ich '89 nicht auf die Straße gehüpft!«, ruft es empört. »Dafür nicht!«

»Was war denn '89?«, fragt der Junge.

»'89, mein Junge«, sagt das Känguru mit beängstigend

ruhiger Stimme. »Da war dieser Platz noch komplett leer! Da war der quasi noch komplett 2D. Und soll ich dir mal was sagen: So schlecht sah das gar nicht aus! Wenn du mir also noch einmal sagst, dass ich 16 Euro bezahlen soll, dann wäre es mir eine Freude, diesen Platz wieder in seinen Vor-Wende-Zustand zu versetzen.«

Irgendwo höre ich schon eine Scheibe klirren. In der ganzen Lobby geraten unter Stöhnlauten Menschen mit Plastikbrillen aneinander. Mit ausgestreckten Armen versuchen sie Sachen zu greifen, die tatsächlich da sind. Das Känguru hüpft von der Theke.

»Also. Noch mal von vorne«, sagt es. »Kino 1 bitte.«

»16 Euro«, sagt der Junge.

»Wir haben schon 3D-Brillen«, sagt das Känguru und hebt zwei vom Boden auf. »Wird's dann billiger?«

»15 Euro 50«, sagt der Junge.

»Na also«, sagt das Känguru. »Geht doch. Zweimal bitte. Und Popcorn und 'ne kleine Cola. Er zahlt.«

Der Junge wendet sich zu mir.

»Das macht dann 40 Euro bitte!«

»Waaas?!?«, ruft das Känguru. »Das sind ja 80 Mark! Das, das, das …«

Verzweifelt wende ich mein Gesicht gen Himmel. Von der Decke der Lobby hängt ein riesiges Poster. Darauf steht: »Bald in diesem Kino: Disneys *Ein gemäßigt sozialdemokratischer Koalabär zum Verlieben*! Natürlich in 3D!«

Jemand musste das K. verleumdet haben, denn ohne dass es etwas Böses getan hätte, wurde es eines Morgens registriert.

»Ich will nicht ...«, sagte das K., machte eine Bewegung, als reiße es sich von den zwei Gehilfen los, die aber weit von ihm entfernt standen, und wollte weggehen.

»Nein«, sagte der Gehilfe. »Sie dürfen nicht weggehen, Sie sind ja registriert.«

»Es sieht so aus«, sagte das K. »Aber warum?«

»Wir sind nicht dazu bestellt, Ihnen das zu sagen. Gehen Sie ins Wartezimmer, und warten Sie. Die Registrierung ist nun einmal eingeleitet, und Sie werden alles zur richtigen Zeit erfahren. Ich gehe über meinen Auftrag hinaus, wenn ich Ihnen so freundschaftlich zurede.«

Der andere Gehilfe schob das K. ins Wartezimmer. Das Wartezimmer war ein großer hallenartiger Raum mit einem Kuppeldach. Eine große Uhr hing in der Mitte des Raumes von der Kuppel herab. Sie war stehengeblieben. Auf den Stühlen, auf den Tischen, auf dem Boden saßen Menschen. Viele mit Gepäck. Andere wuselten um sie herum. Scheinbar beschäftigt. Direkt vor dem K., an einem Schreibtisch, saß ein kleiner, dicker Mann mit Halbglatze. Seinem Gebaren nach ein hoher Beamter.

»Warum sind Sie hier?«, fragte der Mann. »Sie gehören nicht hierher.«

»Aber man hat mich in die DDR als Vertragsarbeiter bestellt«, behauptete das K.

Natürlich war es zumindest formale Pflicht, die Behauptung nachzuprüfen und sich in der Zentralkanzlei zu erkundigen, ob ein Vertragsarbeiter dieser Art wirklich bestellt worden sei. Der hohe Beamte telefonierte.

»Von dieser DDR hat hier noch nie jemand gehört«, sagte er.

»Es gab da Behörden, in denen hätte es Ihnen sicherlich gefallen«, sagte das K.

»Sie sind hier, weil Sie als unproduktiv registriert werden sollen«, sagte der Gehilfe.

»Ja, ich bin fast beschäftigungslos«, sagte das K., und obgleich es sofort das Gefühl bekam, dass es besser geschwiegen hätte, fuhr es fort, »bin müde, habe Verlangen nach immer vollständigerer Beschäftigungslosigkeit.«

»Sie haben die Möglichkeit, bei den Kontrollbehörden eine Berufung gegen Ihre Registrierung einzureichen«, sagte der hohe Beamte. »Freilich sind die Kontrollbehörden nicht dazu bestimmt, Fehler im groben Wortsinn herauszufinden, denn Fehler kommen ja nicht vor, und selbst wenn einmal ein Fehler vorkommt, wer darf denn endgültig sagen, dass es ein Fehler ist?«

»Mein Ehrgeiz geht nicht dahin, große mich betreffende Aktensäulen entstehen und zusammenkrachen zu lassen, sondern als kleines Beuteltier in meiner WG ruhig in einer Hängematte zu liegen«, sagte das K.

Hinten in der Ecke des Wartezimmers stand plötzlich ein alter Mann in einem verstaubten Mantel auf und räusperte sich.

»Ruhe!«, rief der hohe Beamte, und die Menge verstummte. »Ruhe!«

»0011101000101101001010000«, sagte der alte Mann leise und setzte sich wieder.

»Ich verstehe nicht«, sagte das K.

»Niemand hier versteht ihn«, sagte der Gehilfe. »Wir sind aber der Meinung, es ist sehr wichtig, was er sagt.«

»Ich mache Sie darauf aufmerksam, dass diese Untersuchungen regelmäßig, wenn auch vielleicht nicht jede Woche, so doch häufiger einander folgen werden«, sagte der hohe Beamte. »Ich setze voraus, dass Sie damit einverstanden sind.«

»Ich sage nicht, dass es ein liederliches Verfahren ist«, sagte das K., »aber ich möchte Ihnen diese Bezeichnung zur Selbsterkenntnis angeboten haben.«

»Eine Abschiebung ist im Übrigen nicht die einzige Möglichkeit«, sagte der hohe Beamte.

»Sie können auch auswandern«, sagte der Gehilfe.

»Auswandern kann ich nicht«, sagte das K., »ich bin hierhergekommen, um hier zu bleiben. Ich werde hierbleiben.« Und in einem Widerspruch, den es gar nicht zu erklären sich Mühe gab, fügte es wie im Selbstgespräch hinzu: »Was hätte mich denn in dieses öde Land locken können, als das Verlangen hierzubleiben?«

»Der Nächste!«, rief der Gehilfe.

Das K. verließ das Wartezimmer durch die Tür, durch die es hereingebracht worden war. Es befand sich nun aber in einem ihm völlig unbekannten Teil des Gebäudes. Eine unerklärliche Kälte umfing das K. In einer langen Reihe von großen, grauen Spinden standen Männer in grauen Anzügen und schliefen im Stehen. Dabei rauchten sie Zigarre. Einer wachte auf, als das K. vorbeikam, öffnete die Augen und lächelte das K. an. »Bis bald«, flüsterte er und streichelte dem K. über den Kopf. Das K. begann zu rennen. Am Ende des Korridors hörte das K. hinter einer Tür ein Zischen. Es blieb erstaunt stehen und horchte noch einmal auf, dann aber fasste es eine derart unbezähmbare Neugierde, dass es die Tür förmlich aufriss. Es war eine Rumpelkammer. Ächzende alte Nadeldrucker, Lochkartencomputer und Röhrenmonitore lagen hinter der Schwelle. In der Kammer selbst aber stand ein Mann in Unterwäsche, gebückt in dem niedrigen Raum. Eine auf einem Regal festgemachte Kerze gab ihm Licht. Vor ihm stand ein Bügelbrett, und darauf lag ein grauer Anzug. Das Bügeleisen zischte.

»Was treiben Sie hier?«, fragte das K., sich vor Aufregung überstürzend, aber nicht laut.

»Ich bügle«, sagte der Mann.

»Ja, das sehe ich«, sagte das K. »Aber warum ...«

»Ich bin zum Bügeln angestellt«, sagte der Mann, »also bügle ich.«

»Wie ein Hund«, sagte das K. erschreckt. »Wie ein Hund!«

Eilends verließ es das Gebäude. Es fühlte sich beobachtet, obwohl niemand es zu beachten schien. Lange drehte es Schleifen und nahm unnötige Umwege in Kauf, um Verfolger abzuschütteln, die es nicht gab. Als das K. zurück in seine Wohnung kam, riss es hastig die Tür auf.

»War jemand hier und hat Fragen gestellt?«, verlangte das K. zu wissen, aber sein Mitbewohner sprach: »Hier konnte niemand sonst Einlass erhalten, denn dieser Eingang war nur für dich bestimmt. Ich gehe jetzt und schließe ihn.«

»Das Boot ist voll.«
Noah, Sohn des Lamech[35]

Das K. war telefonisch verständigt worden, dass an diesem Tage eine kleine Untersuchung wegen seiner Registrierung stattfinden würde.

»Ich muss Ihnen sagen, dass der erste Besuch hier eine sehr kafkaeske Erfahrung für mich war«, sagt das Känguru zu dem Mann von der Ausländerbehörde. »Darum habe ich meinen Anwalt mitgebracht.«

Ich nicke freundlich.

»Können Sie sich ausweisen?«, fragt der Mann das Känguru.

»Ich dachte, das wäre Ihre Aufgabe«, sagt das Känguru. »Ich finde das ein wenig viel verlangt, dass ich mich auch noch selbst ausweisen soll.«

»Sie wissen sicher, dass das Ministerium für Produktivität eine neue Verordnung erlassen hat, aufgrund derer alle Ausländer in eine von zwei Kategorien eingeteilt werden«, sagt der Beamte zu mir.

35 Sohn des Meuschelach, Sohn des Henoch, Sohn des Jered, Sohn des Mahalalel, Sohn des Kenan, Sohn des Enosch, Sohn des Set, Sohn des Adam, der stammte von Gott.

»Witzig oder nicht witzig?«, frage ich.

»Produktiv oder unproduktiv«, sagt der Mann.

»Völlig veraltete Kategorien …«, sage ich.

»Und je nachdem wie ich Ihr Känguru einteile …«

»Also genau genommen ist es nicht mein Känguru«, sage ich. »Es gehört sich quasi selber.«

»… bekommt es entweder ein P oder ein U in seinen Pass gestempelt«, fährt der Mann fort.

»Witzig und nicht witzig finde ich irgendwie … witziger«, sage ich.

»Sie können mich nicht abschieben!«, ruft das Känguru. »Ich habe doch einen festen Job.«

»Ah ja?«, fragt der Mann.

»Ah ja?«, frage ich.

»Bei wem sind Sie denn angestellt?«, fragt der Beamte.

»Bei ihm!«, ruft das Känguru und deutet auf mich.

»Ah ja?«, fragt der Mann.

»Ah ja? Äh, ja, ja!«, sage ich. »Genau. Äh. Es ist fest bei mir angestellt als … äh …«

Ich blicke das Känguru an

»… äh … Maskottchen«, sage ich.

Das Känguru wendet sich mir zu, verdreht die Augen und schüttelt fast unmerklich den Kopf.

»Als Maskottchen?«, fragt der Mann.

»Ja, äh. Ich nehme es immer zu meinen Auftritten mit …«

»Auftritte?«, fragt der Mann. »Ich dachte, Sie sind Anwalt.«

»Ja, äh, Anwalt und Kleinkünstler«, sage ich. »Von der Juristerei alleine kann man ja kaum leben, und jedenfalls nehme ich das Känguru immer zu meinen Auftritten mit, und da … äh … steht es dann am Eingang und verteilt aus seinem Beutel … äh … Aufkleber … an die Leute …«

»Aufkleber?«

»Ja. Da steht ›Scheißverein‹ drauf«, sage ich. »Ich habe da nämlich so ein Lied geschrieben, das heißt ›Scheißverein‹, und deswegen habe …«

»Und wozu sollen diese Aufkleber gut sein?«, fragt der Mann ungehalten.

»Ich habe zufällig einen dabei«, sagt das Känguru, holt einen Scheißverein-Aufkleber aus seinem Beutel und klebt ihn auf den Schreibtisch des Mannes von der Ausländerbehörde.

»Sehen Sie?«, frage ich. »Das ist ein wunderbares Beispiel für die Einsatzmöglichkeiten des Aufklebers. Jeder Aufkleber ist ein kleiner Anti-Terror-Anschlag, sage ich immer.«

»Hier passt der Aufkleber besonders gut«, sagt das Känguru und deutet auf den »Ich wähle SV«-Button am Pullover des Mannes. »SV steht doch für Scheißverein.«

»Nein, SV steht für Sicherheit und Verwaltung.«

»Die Aufkleber sind so beliebt«, sage ich, »dass ich schon darüber nachgedacht habe, eine internationale Edition drucken zu lassen. Aber das ist gar nicht so einfach. Weil ›Scheißverein‹ so ein starkes Wort ist. Wenn ich das kurz demonstrieren darf …«

Ich stehe auf und schreie: »Scheißverein!«

Ich setze mich wieder, während das Wort noch durch die Behörde hallt.

»Da löst sich richtig was in den Bronchien«, sage ich.

»Das befreit total«, sagt das Känguru nickend und schreit: »Scheißverein!«

»Probieren Sie es doch auch mal«, sage ich und rufe noch lauter: »Scheißverein!«

Der Mann schüttelt den Kopf.

»Das ist wie so ein Mantra«, sage ich. »Wie bei den Buddhisten das Om. Nur noch viel stärker.«

»Scheißverein!«, ruft das Känguru.

»Auf drei versuchen wir es mal zusammen«, sage ich zu dem Mann. »Okay? Eins, zwei, drei …«

»Ruhe jetzt!«, ruft der Mann.

»Scheißverein!«, schreien das Känguru und ich.

»Starkes Wort!«, sagt das Känguru.

»Ja, aber gerade weil das so ein starkes Wort ist, macht mir die internationale Edition so viele Probleme«, sage ich. »Weil zum Beispiel ›Club Merde‹ … Ich weiß nicht … Da löst sich nix bei mir. ›Club Merde‹ … Da fahr ich in Urlaub hin, wenn Sie verstehen, was ich meine.«

»Ich bitte um Ruhe!«, sagt der Mann.

»Oder ›Club of Shit‹«, sage ich. »Was soll das sein? Ein Kartenspiel? Sagt der eine: Hey! Ich hab ein Full House! Sagt der andere: Äh … Ich hab nur 'nen Club of Shit.«

»Seien Sie still!«, sagt der Mann mit Nachdruck.

»Scheißverein!«, schreit das Känguru.

»Oder ›Asociación de Excrementos‹«, sage ich. »Da löst sich nix. Da verknotet sich einem höchstens die Zunge.«

»Ruhe!«, brüllt der Mann. »Ich möchte, dass wir sofort wieder zu einer sachdienlichen Kommunikation …«

»Scheißverein!«, schreit das Känguru.

»Aber das ist doch sachdienlich!«, sage ich. »Ich brauche das Känguru, um diese Aufkleber zu verteilen. Das versuche ich Ihnen gerade zu vermitteln.«

»Ich werde das bei Gelegenheit kontrollieren«, schnaubt der Mann.

Kurz halte ich inne.

»Es putzt auch immer bei uns zu Hause«, sage ich. »Das könnten Sie auch mal kontrollieren.«

»Das werde ich tun«, ruft der Mann.

»Es kocht, kümmert sich um die Kinder, pflegt den Garten, renoviert die Wohnung«, murmle ich vor mich hin.

»Und bei der kleinsten Unstimmigkeit geht's zurück nach Australien!«, ruft der Mann.

»Hallo?!?«, ruft das Känguru empört. »Nur weil ich ein Känguru bin, glauben Sie also, dass ich aus Australien komme? Und jeden Moslem schieben Sie wohl nach Mekka ab und jeden Schwarzen nach Schwarzafrika? Verdammter Rassist!«

»Soso. Ein Rassist bin ich also«, sagt der Mann. »Nur weil ich dafür sorge, dass Deutschland lebenswert bleibt. Weil ich warne: Das Boot ist voll! Deshalb bin ich also ein Rassist. Weil ich sage: Deutschland den Deutschen und den brauchbaren Ausländern? Deshalb bin ich schon ein Rassist?«

Er wendet sich an mich: »Sie als Deutscher, denken Sie dasselbe über mich?«

»Äh. Nein«, sage ich. »Für mich sind Sie eher wie der tragische Held in Sophokles' bekanntestem Theaterstück.«

Kurz schweigt der Mann.

»So. Ach. Hm. Nun ja«, sagt er dann. »Genau. Ein tragischer Held. So sehe ich mich auch manchmal. Na gut.«

Er stempelt ein Fragezeichen in den Pass des Kängurus.

»Dann gehen Sie mal. Aber nehmen Sie bitte Ihr Maskottchen mit.«

»König Ödipus«, flüstert das Känguru, als ich die Tür des Büros hinter mir zuziehe. »Chapeau! Du hast ihn gerade auf extremst subtile Weise einen Motherfucker genannt, Alter!«

»Das ist eine Auslegungsfrage, Euer Ehren!«

Das Känguru liest mir aus einer Boulevardzeitung vor:

»Endlich!
Die Reichen schlagen zurück!
Vor dem Studentenwohnheim Salvador Allende in Zehlendorf brannten gestern die ersten Fahrräder.
Franz-Josef W. über die Schwierigkeiten, ein Fahrrad anzuzünden: ›Nicht einfach, aber ich sag mal:
Mit genügend Napalm brennt alles.‹
Jörn Dwigs erklärt, warum er autonomer ist als jeder Autonome: ›Ich habe sehr viel Geld.‹«

»Wolln Se die Zeitung nur lesn oda och kofen?«, fragt der Mann im Kiosk.

»Nur lesen, danke«, sagt das Känguru.

»Ah so. Äh …«, sagt der Mann. »Na, denn is ja jut.«

Das Känguru legt die Zeitung zurück, und wir gehen wieder auf die Straße.

»Ich glaube, der Kiosk ist der einzige Laden, der schon da war, als du bei mir eingezogen bist«, sagt es.

»Du bist bei mir eingezogen!«, beschwere ich mich. »Das ist meine Wohnung!«

»Auch Hertas alte Eckkneipe hat anscheinend eine weitere Metamorphose durchlaufen.«

Ich blicke mich um. Der *Hafen der digitalen Bohème* hat sich in ein standardisiertes Café verwandelt. Wir gehen über die Straße, stellen uns vor die Fensterscheiben und starren hinein.

»Das US-Militär baut ja seine Stützpunkte überall auf der Welt nach dem immer gleichen Bauplan«, sagt das Känguru nach einer Weile. »Dadurch kann sich der Soldat, unabhängig davon, wo er sich auf der Welt befindet[36], sofort orientieren: ›Da vorne ist die Latrine, dahinten das Lazarett, und in dem dunklen Keller, wo man die Schreie hört, darf ich keine Fotos machen.‹ Diesem Prinzip folgend werden nun alle Innenstädte gleichgeformt, damit der Kunde sich sofort zurechtfindet, wenn er in Urlaub fährt oder wenn ihn der flexible Arbeitsmarkt mal wieder von A nach B vermittelt hat.«

»Soso.«

»Man unterscheidet im wissenschaftlichen Diskurs ja zwischen zwei Phasen der Entstehung von Nicht-Orten«, sagt das Känguru. »Die sogenannte Schleckerisierung und das Starbugging.«

In einer Ecke des Cafés sitzt der Pinguin, liest *Focus Money* und schmiert sich heimlich Teewurst auf seinen Bagel. Dabei telefoniert er, genau wie ein Dutzend anderer Cafébesucher, über ein kabelloses Headset.

»Meinste, manche von denen telefonieren miteinander?«, frage ich.

»Vielleicht haben sie keinen Tisch zusammen gekriegt«, sagt das Känguru.

»Diese Leute sind die ersten Cyborgs«, sage ich fasziniert.

---

36 Das hat den gar nicht zu interessieren! Anm. des Kängurus

»Bliep. Bliep«, sagt das Känguru abgehackt. »Ich ar – bei – te gern für mei – nen Kon – zern. Blieb. Blieb.«

»Blieb. Blieb. Ich – bin – nur – froh – im – Büro«, sage ich. »Blieb. Blieb.«

»Un – ser Ak – ku ist al – le. Blieb. Blieb«, sagt das Känguru. »Wir ha – ben al – le ei – nen Burn-out. Blieb. Blühühp.«

Das Känguru schließt die Augen und lässt den Kopf fallen.

»Also wenn du mich fragst«, sage ich. »Dann ist ...«

Plötzlich drehen sich ein Dutzend Cyborg-Köpfe zu mir. Sie sprechen im Chor, und ich lese auf ihren Lippen: »Wir fragen dich nicht.« Ein roter Laserstrahl zielt von ihren Implantaten direkt auf mich. »Wir sind die Borg. Sie werden assimiliert werden.«

Ich stupse das Känguru an. Es öffnet die Augen.

»Was ist los?«, fragt es. »Ich war gerade auf Stand-by.«

»Was machen wir denn jetzt dagegen?«, frage ich.

»Mir fällt nichts dazu ein«, sagt das Känguru.

»Das ist wahrscheinlich das Bezeichnende an Nicht-Orten«, sage ich, »dass einem nichts dazu einfällt.«

»Ja«, sagt das Känguru. »Man wird selten gefragt: ›Na, wie war's gestern auf der Autobahnraststätte?‹ Was soll man auch groß antworten.«

»Ich hatte ja gestern 'nen wirklich tollen Tag auf dem Flughafen«, sage ich.

»Heute hat's mal richtig gut geschmeckt bei McDonald's«, sagt das Känguru.

»Also, die neue H&M-Filiale ...«, sage ich. »Die ist wirklich was Besonderes.«

»Ich hatte schon vor einiger Zeit eine Idee für einen Anti-Terror-Anschlag«, sagt das Känguru. »Man müsste nachts an allen großen Bahnhöfen Deutschlands die Schilder übermalen. Aus Berlin Hamburg machen, aus München Leipzig, aus Dresden Köln.«

»Klingt lustig«, sage ich. »Warum hast du das nicht bei der Vollversammlung vorgeschlagen?«

»Ich hatte Angst, dass es am Ende keiner bemerkt.«

Ich gähne, reibe mir die Augen und nehme einen großen Schluck Kaffee. Das Radio läuft.

»*Aufgrund der vielen positiven Erfahrungen mit der Kategorisierung von Ausländern*«, sagt der Nachrichtenmann, »*erwägt das Ministerium für Produktivität offenbar die Einteilung in produktiv bzw. unproduktiv auch für alle anderen einzuführen. Ein Ministeriumssprecher sagte dazu: ›Wir wissen noch nicht genau, was wir mit den Daten schlussendlich anfangen. Aber was man hat, das hat man.‹ Ein Datenschutz-Experte, der anonym bleiben möchte (es handelt sich um Winston Schmied, wohnhaft in der Karl-Marx-Straße 23 in 12043 Berlin. Telefonnummer: 030/31415926. 42 Jahre. Fünf Punkte in Flensburg. Drei negative Einträge bei der Schufa. Kunde der Deutschen Bank. Kontonummer: 4815162342. Pin-Nummer 12345. 529 Facebook Freunde. Laut einer Pressemitteilung von Google wurden am 29. Februar 2007 von seiner IP-Adresse aus die Worte ›Giant Black Cocks‹ gesucht), meldete leichte Bedenken an. Ein Sprecher des Ministeriums für Produktivität bezeichnete die Kritik allerdings sofort als unproduktiv.*«

Ich gähne.

Das Känguru schaltet das Radio aus.

»Sag mal, wurdest du eigentlich antiautoritär erzogen?«, frage ich.

»Wie kommst du drauf?«, fragt das Känguru und nimmt die Zunge aus dem Marmeladenglas.

»Ach. Nur so.«

»Hm«, sagt das Känguru und stellt das noch fast volle Marmeladenglas zurück auf den Frühstückstisch.

Ich nehme einen Schluck von meinem Kakao und spucke ihn wieder in die Tasse.

»Bäh«, sage ich. »Ist das Sojamilch?«

»Ja, die habe ich letzte Woche gekauft«, sagt das Känguru, »als du dir eingeredet hast, an Laktoseintoleranz zu leiden.«

Ich kippe den Sojamilch-Kakao weg.

»Na ja«, sage ich. »Ich sollte eh keine Schokolade trinken, mit meiner Histaminunverträglichkeit.«

»Du hast echt voll den Schaden«, sagt das Känguru.

»Nee, das ist nur wegen meinem Kopf.«

»Ja, genau. Das meinte ich.«

»Nein, nein«, sage ich. »Das ist kein Quatsch. Ich habe doch immer wieder diese mysteriösen Kopfschmerzen, und jeder von meinen sieben Ärzten sagt mir, das könne an allem Möglichen liegen, und ich solle mehr Sport machen, aber wenn ich mehr Sport machen wollen würde, würde ich doch nicht zum Arzt gehen, sondern ins Fitnessstudio. Dabei fällt mir ein, ich habe mir noch einen Grabsteinspruch ausgedacht: ›Meine Ärzte hielten mich fit. Ich musste immer von einem zum anderen rennen.‹«

Das Känguru gähnt. Eine Weile lang frühstücken wir schweigend vor uns hin.

»Wer legt das überhaupt fest, was produktiv und was unproduktiv ist?«, fragt es schließlich.

»Du meinst: Ist Prinzessin-Lillifee-Schminksets für Dreijährige herzustellen wirklich produktiv?«, frage ich.

»Ja«, sagt das Känguru. »Und könnte man Landminen-Produzieren nicht sogar als kontraproduktiv bezeichnen?«

»Ich wette, es gibt sogar Leute, die produzieren Landminen, die aussehen wie Prinzessin-Lillifee-Schminksets«, sage ich, »und erfreuen sich dabei ihrer Produktivität.«

»Und ist in der Hängematte liegen und seinen Gedanken nachhängen nicht vielleicht total produktiv?«, fragt das Känguru.

»Meistens nicht«, sage ich.

»Nee«, sagt das Känguru.

»Aber schaden tut's auch nichts«, sage ich. »Und das ist schon mehr, als man von den meisten anderen Tätigkeiten behaupten kann.«

»Wem erzählst du das?«, fragt das Känguru. »Meine Not-to-do-Liste könnte ich als mehrbändigen Ratgeber veröffentlichen.«

»Kannst du dich an das Ende von *Pu der Bär* erinnern?«, frage ich.

»Wieso?«

»Am Schluss, als sich Christopher Robin an jenem verzauberten Ort von seinem Bär verabschiedet, ohne dass der Bär von sehr geringem Verstand dies begreift, da fragt er ihn: ›Was tust du am liebsten von der ganzen Welt, Pu?‹ und antwortet selbst: ›Was ich am liebsten tue, ist gar nichts.‹«

»Also so detailliert kann ich mich nicht erinnern«, sagt das Känguru.

»Und dann sagt Christopher Robin: ›Ich werde nicht mehr gar nichts tun.‹ Und Pu fragt: ›Nie wieder?‹ Und Christopher Robin sagt: ›Kein bisschen. Sie lassen einen nicht.‹ Da musste ich jedes Mal weinen«, sage ich.

»Darf ich dir hierzu eine Stelle aus meinem Manifest vorlesen?«, fragt das Känguru und zieht den altbekannten Stapel bekritzelter Blätter aus seinem Beutel.

»Nur wenn ich dir danach eine Idee für 'ne Geschichte erzählen darf«, sage ich. Das Känguru zögert kurz. Dann nickt es. Es liest: »Die totale Fokussierung darauf, dass produziert wird und das völlige Desinteresse daran, was produziert wird, ist leider nicht nur für die Kapitalisten, sondern auch für die Arbeiter bezeichnend. Als sich die Arbeiterbewegung das ›Recht auf Arbeit‹ auf die Fahnen schrieb, hatte sie schon verloren. Seit die Arbeiter Arbeit fordern statt so wenig Arbeit wie möglich, blieb ihre Kritik systemimmanent und damit in einem befreienden Sinne wirkungslos.«

Das Känguru legt sein Manuskript zur Seite.

»Jetzt du«, sagt es.

»Die Geschichte soll heißen *Krause gegen das System*«, sage ich. »Es geht um Krause, einen Mann, der gerade in Rente gegangen ist. Er hat in einer Behörde gearbeitet und Zahlen in andere Zahlen umgerechnet. Als er nach seinem letzten Arbeitstag zu Hause im Bett liegt, fällt ihm auf, dass er ausgerechnet an diesem Tag einen schweren Fehler gemacht hat. Als er nach dem Wochenende wieder in die Behörde geht, um den Fehler zu korrigieren, muss er feststellen, dass es seine Abteilung nicht mehr gibt. Er beginnt zu verstehen, dass seine Stelle nur eine Arbeitsbeschaffungsmaßnahme war. Er begreift, dass er jahrzehntelang nur vom Computer ausgespuckte Zufallszahlen umgerechnet hat. Dann läuft Krause Amok.«

»Könnte man einen witzigen Rentner-Splatterfilm draus machen«, sagt das Känguru.

»Ein sträflich vernachlässigtes Genre«, sage ich.

Ich nehme mir das Brot und schneide eine Scheibe ab.

»Ist das eigentlich glutenfrei?«, frage ich.

Das Känguru seufzt.

»Na, was soll's«, sage ich.

»No risk, no fun«, sagt das Känguru, »was?«

»Ich habe mal ein Gedicht über meinen wählerischen CD-Spieler geschrieben«, sage ich. »Das hieß: *No disc, no fun.*«

»Willst du Marmelade auf deine Stulle?«, fragt das Känguru.

»Ach, nee. Danke«, sage ich und schalte das Radio wieder an.

»*Laut der jüngsten Umfrage des* German Institute for Manufacturing Consent (GIFMC)«, sagt der Nachrichtenmann, »*zählt Jörg Dwigs inzwischen zu den beliebtesten Politikern des Landes.*«

Das Känguru schaltet das Radio wieder aus.

»Letztens ist nach einem Auftritt einer zu mir gekommen und hat mich gefragt, wie ich es schaffe, mich die ganze Zeit mit solchen Themen auseinanderzusetzen, ohne total zu verbittern«, sage ich.

»Und was hast du geantwortet?«, fragt das Känguru.

»Ich bin total verbittert«, sage ich.

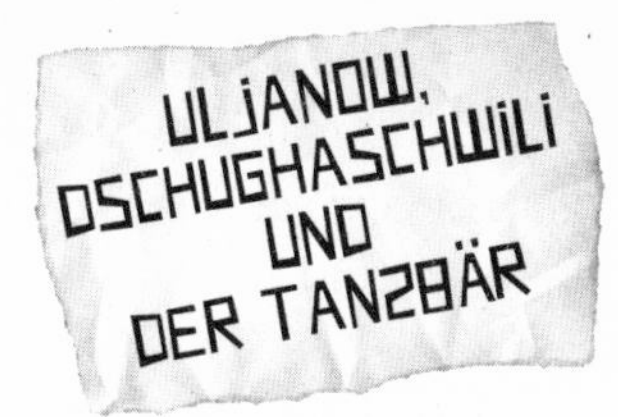

**»Wer mit zwanzig kein Kommunist war,
hat kein Herz. Aber wer mit vierzig noch Kommunist
ist, der hat keinen Verstand.«
Josef Stalin**

Da ich auch von Bier und Wein immer so furchtbare Migräne bekomme, hat das Känguru vorgeschlagen, heute Abend nur Wodka zu trinken. Wodka trinken und dabei youtube-Videos kucken.

»Hier!«, sagt es. »Kennste schon den Kleinkünstler, der aus Versehen sein Mikrofon verschluckt? Hat mir irgendjemand weitergeleitet.«

»Klaro. Alter Hut«, sage ich. »Kennste schon das boxende Känguru? Von den Filmpionieren Max und Emil Skladanowsky?«

»Zeig mal!«

»Das war einer der ersten Filme überhaupt. Von 1895. Der wurde damals im Wintergarten-Varieté gezeigt. Als Teil von 'nem Kleinkunstprogramm.«

»Komisch, dass mir das noch niemand weitergeleitet hat«, sagt das Känguru.

Sehr schwarz-weiß und flackernd sieht man ein mannshohes Känguru mit Boxhandschuhen gegen einen Typ mit stattlichem Schnauzbart boxen.

»Witzig, was?«, frage ich, als das Video vorbei ist.

Das Känguru ist merkwürdig still, und sein Blick ist leer.

»Was'n los?«, frage ich.

»Das ist nicht witzig«, sagt es.

»Hä?«

»Das war mein Urgroßvater.«

»Was?«

»Mein Urgroßvater wurde Ende des 19. Jahrhunderts aus Australien verschleppt und jahrelang unter unwürdigen Bedingungen auf Jahrmärkten als ›Boxendes Känguru‹ missbraucht.«

»Na klar«, sage ich. »Und mein Urgroßvater stand daneben, als Marktschreier vor der Bude mit dem astronomischen Pferd.«

Das Känguru schüttelt entschieden den Kopf. Etwas in seinem Blick zügelt meinen Spott.

»Selbst wenn deine Geschichte stimmt …«, sage ich. »Es wurden bestimmt viele Kängurus verschleppt. Woher willst du wissen, dass das auf dem Video ausgerechnet dein Urgroßvater ist?«

»Mach noch mal an«, sagt das Känguru. »Hier, siehst du, wie er seinen rechten Haken schlägt?«

»Und?«, frage ich.

Das Känguru verpasst mir einen rechten Haken.

»Merkste was?«, fragt es.

ERINNERUNGSLÜCKE[37]

»… und sein einziger Freund war der Tanzbär«, sagt das Känguru und kippt noch einen Wodka. »Während des Ers-

37 Man kennt diesen Witz aus: Kling, Marc-Uwe: *Die Känguru-Chroniken*. Berlin: Ullstein Buchverlage, 2008. S. 158 ff.

ten Weltkrieges dann, als der Jahrmarkt durch die halbwegs sichere Schweiz tourte, gelang es meinem Urgroßvater zu fliehen. Er fand Unterschlupf in Zürich. In der Spiegelgasse 14. Bei einem Russen. Wladimir Iljitsch Uljanow. Der Mann ist dir vielleicht ein Begriff … Im Februar 1917 dann überredete mein Urgroßvater Lenin, nach Russland zurückzukehren. Zusammen fuhren sie im versiegelten Zug der deutschen OHL …«

»OHL?«

»Die Oberste Heeresleitung. Hindenburg, Ludendorff und die Säcke. Jedenfalls in einem Zug der OHL fuhren die beiden durch das Deutsche Reich, weiter nach Schweden, Finnland und schließlich nach Russland. Aus den ersten Tagen der Revolution gibt es viele Fotos von meinem Urgroßvater mit Lenin, Trotzki …«

»Und dem Weihnachtsmann …«, murmle ich.

»Natürlich wurde er später aus allen Bildern rausretuschiert.«

»Natürlich«, sage ich. »Wie der Weihnachtsmann.«

»Gewisse Methoden haben ihm nicht gefallen. Auch hat er sich mit einem Emporkömmling namens Dschughaschwili überworfen.«

»Wahrscheinlich wegen dem Schnauzbart«, sage ich und deute auf den Mann in dem Video.

»Irgendwann um den Jahreswechsel verlieren sich seine Spuren«, sagt das Känguru.

»Ist der Tanzbär nach Mexiko geflohen, später aber von einem Häscher mit einem Eispickel ermordet worden?«, frage ich.

»Mach dich nicht lustig«, sagt das Känguru und droht mir mit seiner Faust. »Das ist alles genau so passiert.«

»Voll die Geschichte …«, sage ich.

»Ja.«

»Weißt du, was ich daran interessant finde?«, frage ich.

»Nee?«

»Früher hat man Sachen mit der OHL verschickt, heute mit DHL … aua.«

»Macht kaputt, was euch kaputtmacht.«
Axel Springer

Das Känguru starrt konzentriert auf das vor uns liegende Schachbrett mit den handgeschnitzten Figuren zum Thema »Deutscher Herbst«. Die roten Figuren sind allesamt Terroristen. Die grünen repräsentieren Staat & Herrschaft. Das Känguru spielt immer mit den roten Figuren.

»Der Geheimagent hat das *Asoziale Netzwerk* darüber informiert, dass das Ministerium für Produktivität, im Folgenden ›Miniprod‹[38] genannt, seine Arbeiten am großen Produktivitätsregister, im Folgenden ›Prodreg‹ genannt, fast abgeschlossen hat«, sagt das Känguru und rückt seine Dame, Gudrun Ensslin, auf C5. »Höchste Zeit, etwas zu unternehmen.«

»Was denkst du?«, frage ich und bringe meinen Axel Springer in Sicherheit.

»Ich denke, dass ich dich in fünf Zügen matt setze«, sagt das Känguru und schlägt mit seiner Dame einen meiner Schupos.

»Wegen dem Register«, sage ich und stelle meinen BKA-Präsidenten schützend vor meinen Bundeskanzler.

38 Newspeak. Anm. des Kängurus

»Ach so«, sagt das Känguru »Nun ja. Das Register ist wie gesagt fast fertig.« Es bewegt einen Bauer aus der zweiten Generation von B2 auf B3. Ein sehr rätselhafter Zug.

»Folglich musst du in das Miniprod einbrechen und das Prodreg mit all seinen Daten zerstören«, fährt es fort.

»Ich?«, frage ich und schnappe mir mit meinem BND-Läufer den jetzt ungeschützten Bauern des Kängurus. »Wo kommt denn urplötzlich dieses ›folglich‹ her? Ich finde nicht, dass du schlüssig dargelegt hast, dass ausgerechnet ich dort einbrechen muss. Wieso machst du das nicht selbst?«

Das Känguru schlägt mit einem unerwarteten Zug meinen BKA-Präsidenten und bringt gleichzeitig meinen Bundeskanzler in eine ausweglose Situation.

»Schach und matt!«, ruft es triumphierend und reicht mir zum Gratulieren seine Pfote übers Brett.

»Du kannst mit dem Turm nicht schräg übers Feld ziehen«, sage ich.

»Hast du doch gesehen, dass ich das kann«, sagt das Känguru.

»Das ist gegen die Regeln.«

»Mein Turm ist Terrorist!«, ruft das Känguru. »Der kümmert sich nicht um Regeln.«

Ich wische mit einer lässigen Handbewegung alle Spielfiguren des Kängurus vom Brett.

»Was soll das denn jetzt?«, fragt das Känguru.

»Mein König ist Helmut Schmidt, und der verhandelt nicht mit Terroristen«, sage ich.

Einen Moment herrscht gespannte Stille.

»Macht kaputt, was euch kaputtmacht!«, ruft das Känguru und wirft das komplette Brett vom Tisch.

Schweigend blicken wir uns an.

»Weißt du«, sagt es nach einer Weile. »Eines habe ich an

Leuten wie der RAF oder Carlos nie verstanden. Wenn sie bereit sind, Leute zu entführen, sie ihrer Freiheit zu berauben oder gar zu erschießen, dann hätten sie doch gleich zur Polizei oder zum Militär gehen können.«

»Ich würde gerne noch mal über diese Aktion reden«, sage ich.

»Papperlapapp«, sagt das Känguru. »Es ist nicht weiter kompliziert. Du kletterst mit so Saugnäpfen außen am Gebäude hoch, windest dich auf dem Dach durch die Laserschranken, die die Selbstfeuer-Maschinengewehre auslösen, hackst dich dabei über dein Bluetooth-Headset ins Sicherheitssystem ein, sprengst den Deckel vom Lüftungsschacht, lässt dich zehn Stockwerke fallen und ...«

»Das ist nicht dein Ernst«, sage ich.

»Nein«, sagt das Känguru. »Ist es nicht. Ein Sicherheitsmann im Miniprod ist Mitglied des Netzwerkes. Er macht uns die Tür auf.«

»Aber was ist, wenn die später den Tatort auf DNA-Spuren untersuchen?«, frage ich. »So was machen die.«

»Kein Problem!«, sagt das Känguru. »Einen Moment ...«

Es kramt in seinem Beutel.

»Tada«, sagt es und stellt ein Ding auf den Tisch.

»Was ist das?«, frage ich.

»Das macht uns unsichtbar«, sagt das Känguru. »Jeder, der schon mal *CSI Castrop-Rauxel* gekuckt hat, weiß, dass es heutzutage unmöglich ist, an einem Tatort keine Spuren zu hinterlassen.«

Es macht eine kurze Pause.

»Da es also unmöglich ist, keine Spuren zu hinterlassen«, fährt es fort, »ist die einzige Möglichkeit, unsichtbar zu werden, unglaublich viele Spuren zu hinterlassen. Kannst du noch folgen?«

»Gerade so.«

»Auf einem leeren Platz ist es schwierig, nicht gesehen zu werden. Kurz vor Weihnachten im Berliner Hauptbahnhof hingegen …«

»Aha.«

»Darum habe ich diese schmutzige Bombe gebaut«, sagt das Känguru. »Da drin sind unzählige Kleidungsfetzen, Gewebereste, Haare, Bartstoppeln, Hautschuppen und Kippenstummel«, sagt das Känguru. »Wir brechen also ein, und wenn wir fertig sind, aktivierst du einfach den Timer an der Unterseite der Bombe. Wir verlassen den Raum, und drei Minuten später – PUFF – sind dort mehr DNA-Spuren verteilt, als das Labor verarbeiten kann«, sagt das Känguru.

»Igitt«, sage ich. »Wie eklig.«

»Das Internet hat mich auf die Idee gebracht«, sagt das Känguru.

»Was sonst.«

»Es gibt da so eine Hackermethode … Bei sogenannten Denial-of-Service-Attacken werden nämlich die Dienste eines Servers mit mehr Anfragen bombardiert, als dieser bearbeiten kann. Dann hängt er sich auf.«

»Das machen ja Menschen auch oft, die mit mehr Anfragen bombardiert werden, als sie bearbeiten können«, sage ich.

»Und weißt du, was das Schönste an der ganzen Geschichte ist?«, fragt das Känguru. »Friedrich-Wilhelm hat einen Teil der Gewebeproben aus dem Müll eines Promischönheitschirurgen gefischt.«

»Da wird sich die Polizei aber wundern, wenn sie feststellt, dass die Reichen und Schönen das Produktivitätsregister zerstört haben«, sage ich.

Das Känguru lächelt.

»Sie hätten allen Grund dazu, wenn du mich fragst.«

»Ich werde trotzdem nicht mitkommen«, sage ich.

»Wieso denn nicht?«

»›Mich an wahnwitzigen Känguru-Aktionen beteiligen‹ habe ich letztens auf meine Not-to-do-Liste geschrieben.«

»Schnick, Schnack, Schnuck?«, fragt das Känguru.

»Ach ...«

»Schnick«, ruft das Känguru.

»Moment!«, sage ich.

Das Känguru denkt, dass ich Papier mache. Also nicht Papier. Auf keinen Fall Papier. Also mach ich Schere. Nee, Quatsch. Das Känguru macht Schere. Also mach ich Stein. Aber wahrscheinlich denkt es sich, dass ich das denke, und macht deswegen Stein. Nee, Papier. Also mach ich Schere, aber dann macht das Känguru bestimmt ...

»Ohne Brunnen!«, sage ich.

»Ist gut«, sagt das Känguru.

Also wo war ich? Das Känguru macht ... äh ... Stein. Dann ... Oder? Dann mache ich also Papier. Ja. Papier ist gut. Papier. Das Wort ist mächtiger als das Schwert ... äh ... der Stein. Aber nee. Moment. Das Känguru macht ja bestimmt wieder Schere ...

»Bereit?«, fragt das Känguru.

»Ja. Okay«, sage ich.

»Schnick, Schnack, Schnuck«, ruft das Känguru.

»Jedes Mal, Alter«, sagt es kopfschüttelnd. »Jedes Mal machste Papier.«

Wir schleichen durch die Dunkelheit zum Ministerium für Produktivität. Wir sind zu sechst und sehen wahrscheinlich sehr verdächtig aus. Eine denkwürdige Truppe. Gott, der Messias, ein Generalsekretär, ein Reichskanzler, ein Känguru und ein Kleinkünstler.

Das Ministerium ist ein riesiger kreisrunder Bau mit sieben Stockwerken.

»Das Gebäude hat 365 große, verspiegelte Fenster, von denen ein jedes durch Fensterkreuze in 24 kleinere Fenster geteilt ist«, sagt Gott.

»Bist du allwissend, oder was?«, fragt Otto.

»Das stand bei Wikipedia«, sagt Gott.

»Glaubt ihr, sie brechen am Beginn jedes Schaltjahres ein weiteres Fenster ins Gebäude und mauern dieses am Ende des Schaltjahres wieder zu?«, frage ich.

In regelmäßigen Abständen hängen vom obersten Stockwerk Banner, auf denen je einer der Wahlsprüche des Ministeriums zu lesen ist.

ARBEIT IST FREIZEIT

WACHSTUM IST FORTSCHRITT

SICHERHEIT IST FREIHEIT

Das Känguru hüpft auf den Lieferanteneingang zu. Es tippt einen langen Code in einen kleinen Kasten, und die Tür öffnet sich knackend.

»Denkt immer daran«, sagt das Känguru. »So viele Spuren wie möglich.«

Gott zerschlägt die Fenster neben der Tür. Eines von innen und eines von außen. Der Messias zieht eine Axt unter seinem Mantel hervor und zertrümmert das Türschloss. Friedrich-Wilhelm greift in seinen Plastiksack und verteilt mit Ottos Hilfe großzügig DNA-Spuren.

Wir treten ein. Im Mittelpunkt des Gebäudes steht ein dunkler Turm mit getönten, verspiegelten Scheiben, von dem strahlenförmig Großraumbüros abgehen, die nicht durch Wände, sondern nur durch Plexiglas voneinander getrennt sind.

»Vom Turm aus kann man jedes einzelne Büro einsehen«, sagt Gott. »Aus den Büros kann man aber nicht in den Turm blicken. Auch die Böden sind transparent. Allerdings nur von oben nach unten. Das Gebäude selbst wiederum liegt im Herzen der Stadt, und man kann aus den Büros auf die Stadt sehen, aus der Stadt aber nicht in die Büros.«

»Hast du das auswendig gelernt, oder was?«, fragt Friedrich-Wilhelm.

»Verzeiht, dass ich mich informiert habe, ihr Stümper«, sagt Gott.

Das Känguru blickt sich um.

»Weiß jemand, wohin wir müssen?«, fragt es flüsternd.

»Ist das ein Scherz?«, flüstere ich aufgebracht zurück.

»Ja«, flüstert das Känguru. »Das ist ein Scherz.«

»Wir müssen ganz nach oben«, sagt Gott.

Das Känguru hüpft auf den Turm zu. Dort angekommen gibt es wieder einen Code ein. Ich öffne die Tür und stehe einem Sicherheitsmann mit Maschinenpistole gegenüber.

»Äh ... also ... ich kann das erklären«, sage ich. »Oder vielmehr das Beuteltier hier kann das erklären.«

Der Sicherheitsmann sieht das Känguru, senkt die Waffe und sagt: »Comandante.«

Das Känguru nickt grüßend.

»Viel Spaß«, sagt der Mann und gibt den Weg frei. »Das Register ist ganz oben im Turm. Die Kameras im Gebäude haben alle seit kurzem eine Fehlfunktion ...«

»So ein Zufall aber auch«, sagt das Känguru.

Mit einem Fahrstuhl fahren wir ganz nach oben. »Verfluchtverficktedreckskacke«, murmle ich, als sich die Türen öffnen. Noch nie habe ich so viel Elektronik auf einem Haufen gesehen.

»Gib mir die Axt«, sage ich. Der Messias blickt fragend zum Känguru.

»Geduld noch«, sagt das Känguru und holt eine DVD aus seinem Beutel. »Um sicherzugehen, dass das ganze System wirklich unwiderruflich unbrauchbar gemacht wird, werde ich erst mal auf dem Hauptserver Windows Vista installieren.«

STUNDEN SPÄTER

Das Känguru nickt, und der Messias reicht mir die Axt.

»Ich gebe euch eure bekackten Ausnahmefehler!«, schreie ich und hacke drauflos.

Als ich wieder zu mir komme, tanzt das Känguru mit einem großen Magneten durch die Trümmer.

»Das erinnert mich an ein Gleichnis«, sagt der Messias. »Ein Affe hatte zwei Bananen, aber drei beste Freunde. Oder sagen wir einen besten und zwei gute Freunde. Jedenfalls mochten die alle Bananen, außer einer. Und der Affe selber fand Bananen okay, aber halt nicht jeden Tag. Genau.«

»Ich sehe den Zusammenhang nicht«, sagt das Känguru.

»Welchen Zusammenhang?«, fragt der Messias.

Friedrich-Wilhelm verteilt Wasserpistolen, die mit dem Inhalt abgelaufener Blutkonserven gefüllt sind, und wir spritzen rätselhafte Nachrichten an die Wand.

»Und das Bier, das aus dem Abgrund aufsteigt, wird sie überwinden und wird sie töten!«, schreibt der Messias.

»Die Knospe im Schlaf-raum wieder laenger beg-luecken!«, schreibe ich.

»Es jibt sone und solche, und dann jibt es noch janz andre, aba dit sind die Schlimmstn«, schreibt Friedrich-Wilhelm.

»Hier könnte Ihre Werbung stehen«, schreibt Gott.

»BioBrause™ – gibt's jetzt überall«, schreibt Otto.

»›Je öfter eine Dummheit wiederholt wird, desto mehr bekommt sie den Anschein der Klugheit‹«, schreibt das Känguru. »Lehman Brothers.«

Der Sicherheitsmann taucht noch einmal auf. Er schleppt eine schwere Kiste.

»Ah! Die Schneemaschine!«, sagt das Känguru. Es stellt die Klimaanlage auf null Grad, packt die Schneemaschine aus und nimmt sie in Betrieb.

»Gut«, sagt das Känguru. »Jetzt vertauschen wir noch die Nummern an allen Büros, dann verschwindet jeder von uns auf einem anderen Weg. Wir sehen uns bei der Vollversammlung.«

»Die schmutzige Bombe«, sage ich.

»Ah ja«, sagt das Känguru und zieht die Bombe aus seinem Beutel. »Mach du das …«

Die anderen steigen in den Aufzug und sind kurz darauf verschwunden. Ich nehme die schmutzige Bombe und lege sie in die Mitte des Raumes. Ich aktiviere die Zeitschaltuhr. Es macht sofort klick.

»Das ist bestimmt kein gutes Zeichen«, murmle ich.

Da verteilen sich auch schon mehr DNA-Spuren, als das Labor verarbeiten kann, auf mir. Ich schließe die Augen und seufze. Sehr tief. Ich öffne die Augen wieder. Wie langsamer Regen sinken überall im Zimmer totes Gewebe, Haare, Hautschuppen und Bartstoppeln zu den Zigarettenstummeln in den Schnee.

Als ich nach Hause komme, sitzt das Känguru im Lotus auf dem Boden unseres Wohnzimmers und meditiert. Seine Pfoten hat es nach vorne gestreckt, und die Fingerspitzen zeigen zur Decke. Es öffnet die Augen.

»Du hast da 'nen Kippenstummel im Haar hängen«, sagt es.

»Ich geh duschen«, sage ich.

Seit geraumer Zeit stehen wir am oberen Bahnsteig des U-Bahnhofes Kottbusser Tor und warten auf die Bahn. Das Känguru stützt sich auf sein Fahrrad.

»Meines Erachtens fährt um zwei Uhr nachts keine Bahn mehr«, sage ich.

»Werden wir ja sehen«, sagt es.

Ich schlurfe zum Aushang und zurück.

»Meines Erachtens und laut Fahrplan fährt um zwei Uhr keine U-Bahn mehr.«

»Unsere U-Bahn hält sich an keinen Fahrplan«, sagt das Känguru.

»Verstehe«, sage ich.

An einer goldenen Kette zieht es eine Taschenuhr aus seinem Beutel.

»Jetzt«, sagt es.

Nichts passiert.

»Jetzt«, sagt es noch einmal.

Wieder passiert nichts. Dann hechtet Krapotke die Treppe hinauf.

»Bin ich zu spät?«, ruft er.

»Herr Generalfeldmarschall«, sage ich grüßend.

»Herr Hauptmann«, sagt Krapotke.

Das Känguru schüttelt genervt den Kopf.

»Jetzt«, sagt es.

Nichts passiert.

»Ich wär dann so weit«, sagt Krapotke.

Eine U-Bahn rauscht in den Bahnhof. Auf der Anzeigetafel leuchtet: »Bitte nicht einsteigen«. Vorn auf der U-Bahn steht: »Betriebsfahrt«.

»Halt mal kurz«, sagt das Känguru zu Krapotke, reicht ihm das Fahrrad und steigt vorne ein. Ich folge dem Känguru. Krapotke folgt mir.

Plötzlich knackt der Lautsprecher.

»Krk. *Mit dem Fahrrad nicht in den ersten Wagen!* Krk.«

Einige Sekunden später fährt die Hochbahn los und nimmt ihren gewohnten Weg durch die Berliner Nachtluft. Im ersten Wagen ist die Versammlung in vollem Gange. Otto reicht dem Känguru gerade eine Tofu-Bratwurst. Ich drehe mich um und winke Krapotke, der mit dem Fahrrad allein im zweiten Wagen sitzt. Friedrich-Wilhelm gibt mir durch ein Zeichen zu verstehen, dass dicke Luft herrscht. Ich blicke mich um.

»Wo ist Gott?«, frage ich flüsternd.

»Gott ist nie da, wenn man sie wirklich braucht«, sagt Friedrich-Wilhelm. »Ist dir das noch nie aufgefallen?«

»Herr Hauptmann!«, ruft mich die große Vorsitzende an. Sie hat anscheinend gerade das Wort. »Von den anderen Spinnern ist ja nichts Besseres zu erwarten ... aber dass Sie sich für so einen Unsinn hergeben ... Das hätte ich nicht gedacht.«

»Unsinn?«, frage ich.

»Jawohl, Unsinn«, sagt die Große Vorsitzende. »Es muss Ihnen doch klar gewesen sein, dass man in unseren Zeiten nicht einfach irgendwo einbrechen und ein paar Computer zerstören kann, um eine Datenbank zu vernichten. Es war doch klar, dass es vom Produktivitätsregister eine Sicherungskopie gibt.«

»Eine Sicherungskopie?«, frage ich fassungslos. »So etwas habe ich noch nie gemacht!«

»Und nicht nur eine Sicherungskopie«, sagt der Geheimagent. »Es gibt wahrscheinlich Dutzende, Hunderte, Tausende. So ist das in der heutigen Zeit. Wenn man die Daten erst mal gesammelt hat, wird man sie nie wieder los.«

»Ich kenne niemanden, der ernsthaft Sicherungskopien macht«, sage ich schockiert.

»Die ganze Aktion war völlig sinnlos!«, ruft der Professor.

»Also ... äh ... ich ... äh ... tja ... äh ...«, stammle ich.

»Da fällt mir ein Gleichnis ein«, sagt der Messias. »Eine alte Frau stand an einem Fluss. Sie hatte bei sich einen Laib Brot, eine Gans und einen Fuchs, aber kein Boot. Ja, äh ...«

»Ville red er nich, aba wat er sacht, is Quatsch«, sagt die Amazonenkönigin.

»Was der Hauptmann und der Messias damit sagen wollten, ist Folgendes«, sagt das Känguru und dreht sich in der Bahn, um sicherzugehen, dass es die ungeteilte Aufmerksamkeit aller Anwesenden hat. »Sie wollten sagen: ›Ja, es war Unsinn!‹«

Man kann die Spannung im Waggon förmlich spüren.

»Unser Tun war Unsinn«, ruft es. »Es war leuchtend ineffizient, es war grandios unprofessionell, es war absolut chaotisch, es war total unproduktiv. Aber sinnlos? Nein! Es war ...«

Das Känguru macht eine dramatische Pause.

»Es war ein Zeichen!«, ruft es. »Gerade in seiner ineffizienten, unprofessionellen, chaotischen Unproduktivität war es ein Zeichen!«

Spontaner Applaus brandet auf.

»Es war ein Fanal!«, ruft das Känguru. »Ein Fanal! Asoziale aller Länder, vereinigt euch!«

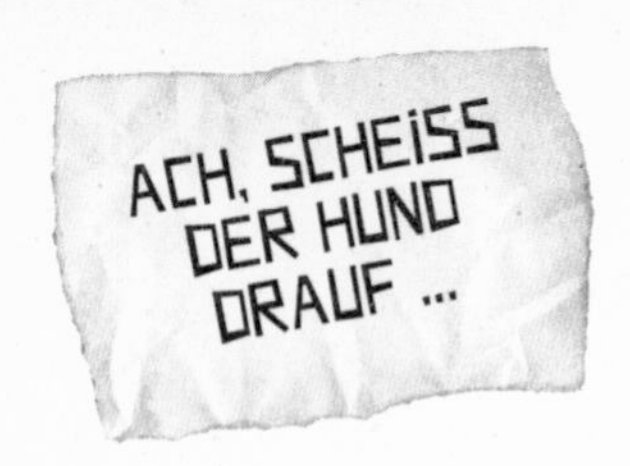

Ich gähne und nehme einen kleinen Schluck Kräutertee. Das Radio läuft.

»*Und nun die Nachrichten*«, sagt der Nachrichtenmann. »*Der Friedensnobelpreis geht dieses Jahr an Batman aus Gotham City.*«

Das Känguru kommt in die Küche.

»*Da Batman nicht zu erreichen war und sowohl Christian Bale (›Keine Lust‹) als auch George Clooney (›Keine Zeit‹) absagten, wurde heute die Medaille in Oslo stellvertretend an Val Kilmer überreicht. Kilmer sagte, die Auszeichnung sei ein großartiges Zeichen für den Frieden, da auch Batman irgendwie für Gewaltfreiheit stehe.*«

»Tss«, sage ich kopfschüttelnd und schalte das Radio aus.

»Hattest du dir große Hoffnungen gemacht?«, fragt das Känguru.

»Nicht wirklich«, sage ich. »Aber im Moment der Entscheidung ist man natürlich trotzdem enttäuscht.«

Das Känguru zieht die Post aus seinem Beutel und wirft sie auf den Tisch.

Es schnuppert an der Kanne.

»Gibt's heute keinen Kaffee?«

»Nee, nee«, sage ich. »Meine ständigen Kopfschmerzen. Ich glaube, es liegt am Koffein.«

Das Känguru seufzt.

Ich öffne einen an mich adressierten Brief und lese ihn.

»Bei der Hausverwaltung ist eine Beschwerde eines anonymen Nachbarn eingegangen«, sage ich.

»Oh! Dieser Pinguin!«, flucht das Känguru. »Worüber beschwert er sich denn? Lärmbelästigung?«

»Nein«, sage ich. »Hier im Schrieb ist die Rede von einem nicht genehmigten Haustier.«

»Boah!«, ruft das Känguru. »Welch Unverfrorenheit!«

»Der unverfrorene Pinguin«, sage ich belustigt, »der als Vertreter für Tiefkühlkost arbeitet …«

»Weißt du, was ich glaube?«, sagt das Känguru. »Der Pinguin arbeitet gar nicht als Vertreter für Tiefkühlkost. Ich glaube, er ist ein Agent des Ministeriums für Produktivität. Die Vertretermasche ist seine clevere Methode, in fremde Wohnungen einzudringen. So kann er unauffällig überprüfen, ob alle auf Arbeit oder sonst wie produktiv sind. Und dann geht er zurück ins Ministerium, nach ganz oben in den Turm, und meldet die Leute, die nur rumlungern oder gar Spaß haben!«

Kurz muss ich lachen. Dann mustere ich das Känguru.

»Das glaubst du wirklich«, sage ich. »Nicht wahr?«

»In der Tat«, sagt das Känguru. »Das glaube ich. Habe ich nicht hinreichend bewiesen, dass der Pinguin mein Antagonist ist?«

»Nicht das schon wieder.«

»Da ich im *Asozialen Netzwerk* bin, muss er für das Ministerium für Produktivität arbeiten. Das ist quasi zwangsläufig. Ich bin mir meiner Sache so sicher, dass ich mit dem Gedanken spiele, dem *Asozialen Netzwerk* die Bitte zu unterbreiten, den Pinguin zu überwachen«, sagt das Känguru.

»Wir könnten ja einfach mal rübergehen, 'ne schöne

Teewurst im Gepäck, und mit dem Pinguin reden«, schlage ich vor.

»Wir könnten auch einfach rübergehen und den Pinguin verkloppen«, sagt das Känguru.

Es klingelt an unserer Tür. Ich gehe in den Flur. Gerade als ich öffnen will, wird ein Prospekt für Tiefkühlkost unter unserem Türschlitz durchgeschoben. Das Känguru steht hinter mir. Vergeblich versuche ich, es zurückzuhalten. Es reißt die Tür auf. Draußen steht der Pinguin. Die beiden funkeln sich böse an.

»Hier wird es enden!«, ruft das Känguru. »Die epische Schlacht zwischen Gut und Böse wird auf ein Neues ausgefochten! Generationen werden sich an diesen Kampf erinnern. In Liedern wird man davon singen. Jetzt regeln wir das! Nur du und ich! Keiner weiter!«

Der Pinguin gibt dem vor seiner Türe stehenden Sicherheitsmann ein Zeichen, und dieser geht auf das Känguru los. Ein Fehler. Das Känguru steckt seine Pfoten in seinen Beutel und zieht sie blitzschnell wieder hervor. In roten Boxhandschuhen. Der Mann schlägt zu. Das Känguru duckt sich. Das Känguru schlägt zu. Der Mann geht zu Boden und steht nicht mehr auf. Ich ziehe ihn aus dem Weg und bringe ihn in die stabile Seitenlage. Das Känguru wendet sich dem Pinguin zu. Es schlägt einen rechten Haken. Der Pinguin weicht nach links aus. Das Känguru schlägt einen Haken von unten. Der Pinguin beugt sich wie ein Limbotänzer nach hinten und dreht seinen Schnabel zur Decke. Der Schlag geht um Millimeter an ihm vorbei.

»Das würde ich gerne noch mal in Zeitlupe sehen«, sage ich.

Das Känguru führt eine Rechts-links-rechts-Kombination. Der Pinguin weicht aus: links-rechts-links. Das Känguru erhöht die Schlagfrequenz. Es trifft nicht. Der Pinguin scheint die Schläge vorauszuahnen und biegt sich immer aus der Gefahrenzone. Dabei bewegen sich seine Füße keinen Deut von der Stelle. Das Känguru hingegen hüpft aufgeregt hin und her. Es atmet heftig. Führt eine weitere Kombination aus. Und noch eine. Vergebens. Alle Schläge zischen vorbei.

»So was sieht man nicht alle Tage«, sage ich ungläubig.

Endlich scheint es die Schwachstelle des Pinguins erkannt zu haben und schlägt mit seinem Schwanz nach dessen Füßen. Der Pinguin hüpft gerade rechtzeitig in die Luft, kann aber dem gleichzeitig geschlagenen rechten Haken nicht ganz ausweichen. Das Känguru trifft ihn an der Seite, der Boxhandschuh glitscht aber ohne erkennbaren Effekt ab, und das Känguru fällt vornüber. Es schnappt nach Luft.

»Schnack, schnack, schnack ...«, macht der Pinguin Pinguingeräusche.

Plötzlich tut er mir leid. Das Känguru senkt seine Boxhandschuhe.

»Glaubst du, er will uns was sagen?«, frage ich.

»Bestimmt hat er Angst ...«, keucht das Känguru.

»Wahrscheinlich denkt er: ›O Gott, o Gott! Kommunisten!‹«, sage ich.

»Nein, nein!«, sagt das Känguru und rappelt sich schwer atmend auf. »Nur ich bin Kommunist, der Kollege hier ist Anarchist. Darauf legt er Wert.«

Ich tippe mir grüßend an die Mütze und nicke dem Pinguin zu.

»Wir sind Freunde bis zur Revolution«, sagt das Känguru.

»Dann schlägt es mir den Kopf ein und errichtet seine Diktatur«, sage ich.

»Die ist notwendig!«, ruft das Känguru. »Um die Revolution zu verteidigen!«

»Ja!«, rufe ich. »Gegen das Volk!«

»Gegen Spinner wie dich!«, ruft das Känguru. »Ihr habt noch nirgendwo erfolgreich Revolution gemacht!«

»Nur weil ihr uns in den Rücken gefallen seid in Katalonien!«, rufe ich.

»Noch nie wart ihr irgendwo an der Macht.«

»Das wäre ja auch ein Widerspruch in sich«, sage ich. »Wer sagt: Hier herrscht Freiheit, der lügt, denn Freiheit herrscht nicht. Barack Obama.«

»Chaoten!«, ruft das Känguru.

»Faschist«, sage ich.

»Selber Faschist!«, schreit das Känguru und schlägt mir einen linken Haken in die Niere. Ich halte mich mit der rechten Hand am Beutel des Kängurus fest und versuche, es mit dem linken Arm in den Schwitzkasten zu nehmen.

»Nicht am Hals!«, ruft das Känguru. »Nicht am Hals!«

Ein roter Boxhandschuh zischt knapp an meinem Gesicht vorbei.

»Ey! Nicht auf die Nase!«, rufe ich. »Nicht auf die Nase!« Das Känguru schlägt mir mit seiner Linken immer wieder aufs Knie. Ich ziehe einen Baseballschläger aus seinem Beutel, da schwingt es seinen Schwanz und fegt mir die Füße weg. Ich falle, das Känguru rennt an der Wand hoch und setzt zu einem Wrestling Dunk an. Ich rolle zur Seite, und es landet voll auf seinem Beutel. Ich sehe meine Chance, rappel mich auf und beiße das Känguru ins Bein.

»Aua!«, ruft das Känguru. »Spinnst du? Ich hab doch keine Tollwutimpfung!«

Ich halte inne.

»Wo ist der Pinguin?«, frage ich.

Wir blicken uns um. Der Pinguin steht hinter seinem Türgitter und beobachtet uns verwundert. Er dreht sich um und wirft die Tür hinter sich zu.

»Verdammt«, flucht das Känguru und dreht sich wie ein Roboter zu mir. »Er kannte unsere Schwachstelle.«

»Er war uns immer einen Schritt, ein Watscheln voraus«, sage ich und betaste meine Nase.

»Ach, scheiß der Hund drauf«, sagt das Känguru und geht in unsere Wohnung zurück. »Lass uns *Das Krokodil und sein Nilpferd* fertig kucken.«

»Ich habe schon wieder Kopfschmerzen«, seufze ich.

»Alles hat ein Ende, nur die Wurst hat zwei.«
Albert Einstein

»Habe ich dir eigentlich schon mein neuestes Gedicht vorgetragen?«, frage ich.

Das Känguru lehnt sich gegen den Türrahmen und beginnt zu schnarchen.

»Krass!«, ruft es. »Ich kann im Stehen einschlafen.«

Ich räuspere mich.

»Wenn ich 'ne Maschine baue,
Eine riesengroße, blaue,
mit Gehirn und pipapo,
Touchscreen, WLAN, Gästeklo,
die allen hilft und alles weiß,
Sogar Grammatik und so'n Scheiß, …

Und wenn die dann nicht funzt,
Dann ist das Kunst.«

Das Känguru läuft sinnend im Zimmer auf und ab.

»Hm, hm«, sagt es, zieht eine Brille aus seinem Beutel und nimmt das Ende des Bügels nachdenklich in den Mund.

»Wenn, wie Marx gesagt hat, die Kunst nicht der Spiegel

ist, den man der Welt vorhält, sondern der Hammer, mit dem man sie verändert«, sagt es. »Was für eine Art Hammer war das?«

»Ein ziemlich großer«, sage ich.

»Zum Aufblasen«, sagt das Känguru.

»Bunt«, sage ich.

»Und er quietscht.«

Das Känguru nimmt die Hornbrille aus seinem Mund und setzt sie auf. Sie hat keine Gläser.

»Mit solchen Hämmern bräuchte man sehr lange, um das Kanzleramt zu demontieren.«

»Vielleicht«, sage ich. »Aber schon der Versuch wäre große Kunst.«

»Wie dem auch sei«, sagt das Känguru. »Ich bin dafür, dass wir jetzt erst mal den Bud-Spencer-Film von gestern fertigkucken.«

»Das klingt vernünftig«, sage ich.

Wir hängen beide die Füße über die Rückenlehne der Couch und lassen unsere Köpfe nach unten baumeln. Ich nehme die Fernbedienung vom Tisch und schalte Videorecorder und Fernseher an. Das Känguru zieht zwei Tassen sowie eine Thermoskanne mit Malzkakao aus seinem Beutel. Es schenkt uns über Kopf ein, was sogar fast funktioniert, und steckt Strohhalme in die Tassen.

»Na, mal kucken, ob das klappt«, sage ich.

»Klaro«, sagt das Känguru und nimmt einen Schluck Malzkakao, welcher sofort durch die Nase wieder heraussprudelt.

»Doch keine gute Idee«, sagt es.

»'Ne total beknackte Idee«, sage ich, lache, nehme einen Schluck und pruste ihn durch die Nase wieder aus.

Das Känguru muss auch lachen.

»Ich glaube, das war mit das Dümmste, was ich je gemacht habe«, sage ich.

»Ich habe mal im Kaufhaus einen Wecker geklaut«, sagt das Känguru. »Und als ich schon an der Kasse vorbei war und möglichst unauffällig durch die Tür verschwinden wollte, fing der Wecker an, in meinem Beutel zu klingeln.«

»Das Mysteriöse an der Geschichte ist ja: Wieso um alles in der Welt wolltest du einen Wecker klauen?«, frage ich.

Ohne Vorwarnung stürmt ein Trupp Polizisten behelmt und in voller Montur in unser Wohnzimmer. In ihre Mitte tritt ein Mann in grauem Sakko und mit grauem Hut. Er pafft an einer Zigarre. Auf einen Schlag ist mir sehr kalt.

»Ihre Tür war nicht verschlossen«, sagt der Mann. »Wir haben uns die Freiheit genommen, uns selbst hereinzulassen.«

»Wer? Was? Warum?«, stammle ich und purzle von der Couch. Das Känguru scheint in Schockstarre verfallen zu sein. Es hat immer noch die Hornbrille ohne Gläser auf.

»Gute Fragen«, sagt der Mann und zieht an seiner Zigarre. »Allesamt gute Fragen. Ich arbeite in der Abteilung für Re-Immigration im Ministerium für Produktivität. Wir haben von der Registrierungsstelle eine Liste mit unproduktiven Ausländern bekommen, und wir möchten Ihnen dabei helfen, ein Land zu finden, in dem Sie sich nützlicher machen können als bei uns. Verzeihen Sie unser etwas plötzliches Erscheinen. Wir hätten gerne Bescheid gesagt, aber dann wäre ja keiner mehr da gewesen zum Hallo-Sagen.«

»Sie wollen das Känguru abschieben?«, frage ich aufgebracht.

Das Känguru schließt die Augen und drückt sich ein Kissen aufs Gesicht.

»O nein!«, sagt der Mann und ascht auf den Boden. »Abschieben. So ein hartes Wort. Wir möchten es re-immigrieren.«

Ich springe hoch und will auf den Mann zugehen. Ein Polizist hält mich zurück.

»Es ist nichts Persönliches«, sagt der Mann und drückt seine Zigarre auf dem Panzer eines Polizisten aus. »Die Sachlage zwingt uns. Ich möchte, dass Sie das verstehen.«

»Aber das geht doch nicht!«, rufe ich empört. »Das dürfen Sie nicht. Das Känguru hat doch gar nichts getan!«

»Genau das ist ja das Problem«, sagt der Mann, lächelt und zündet sich eine neue Zigarre an.

»Ich werde nie wieder gar nichts tun«, sagt das Känguru traurig.

»Nie wieder?«, frage ich.

»Kein bisschen«, sagt das Känguru. »Sie lassen einen nicht.«

Der graue Herr gibt den Polizisten ein Zeichen zum Abmarsch, und sie zerren das Känguru von der Couch. Widerstandslos lässt es sich mitnehmen.

Ungläubig schüttle ich meinen Kopf. »Was steht an erster Stelle auf deiner Not-to-do-Liste?«, rufe ich.

Das Känguru blickt hoch.

»Aufgeben«, sagt es.

»Kommen Sie«, sagt der Mann. »Sie müssen gehen.«

»Das ist noch nicht das Ende der Geschichte!«, ruft das Känguru und wirft die Hornbrille weg. Es klammert sich an seinen von der Decke hängenden Boxsack. »Das ist vielleicht das Ende von *Das Ministerium schlägt zurück!*, aber es folgt noch *Die Rückkehr des Asozialen Netzwerkes*. Und irgendwann später folgen dann noch drei wesentlich schlechtere Teile über meine Jugend.«

Drei Polizisten zerren an dem Känguru herum. Es wendet

sich zu mir: »Verbreite die frohe Botschaft: Wer auch immer Teil des *Asozialen Netzwerkes* sein möchte, ist es bereits!«

Der Haken reißt von der Decke, und die Polizisten schleifen das Känguru samt Boxsack aus meiner Wohnung.

»Ich werde dich vermissen«, rufe ich.

»Ich weiß«, ruft das Känguru.

Plötzlich fühle ich mich sehr einsam. Da steckt das Känguru noch mal seinen Kopf zur Tür rein und ruft: »Und wo zwei oder drei versammelt sind in meinem Namen, da bin ich mitten unter ihnen.« Dann ist es weg.

Ich trete ins Treppenhaus und blicke ihm hinterher. Hinter Stacheldraht und Gitter steht der Pinguin im Eingangsbereich seiner Wohnung und blickt ebenfalls dem Känguru hinterher. Er wirft mir einen Seitenblick zu, dreht sich um und schließt wortlos seine Tür.

Ich trete auf den vor unserer Tür zurückgebliebenen Boxsack ein. Dann lehne ich mich, unfähig, einen klaren Gedanken zu fassen, gegen den Türrahmen und schließe die Augen. Ein letzter Polizist kommt aus meiner Wohnung. Ich blicke ihn grimmig an.

»Da fällt mir ein Gleichnis ein«, sagt er und öffnet sein Visier. »Ein Engländer, ein Franzose und ein Österreicher …«

»Quatsch keine Opern«, rufe ich aufgeregt. »Hinterher!«

Der Messias zwinkert mir zu und rennt seinen Kollegen hinterher. Ich werfe einen letzten Blick auf die Gittertür des Pinguins.

»Irgendetwas ist verdammt fischig an diesem falschen Vogel …«

Das Känguru kehrt zurück!

Im fulminanten Finale
der Känguru-Trilogie:

DIE KÄNGURU-OFFENBARUNG

INHALT